Our Iceberg Is Melting

John Kotter / Holger Rathgeber

カモメになったペンギン

ジョン・P・コッター／ホルガー・ラスゲバー

藤原 和博 訳　野村 辰寿 絵

ダイヤモンド社

Our Iceberg Is Melting
by John Kotter and Holger Rathgeber

Original English language edition published by St. Martin's Press, LLC., New York
Japanse translation rights arranged with St. Martin's Press, LLC., New York through Tuttle-Mori Agency, Inc., Tokyo

日本の読者へ

私はキャリアのほとんどの期間を、経営トップやその教育を受けている人々をテーマとした調査に費やしてきました。この一〇年間ではっきりとわかってきたことは、いかに彼らが才能豊かでも、効果的に組織を指揮することはできないということです。変革のスピードが加速するにつれて、経営トップが備えているよりももっと強いリーダーシップが必要とされているのです。

リーダーシップには、人々を困難な目標の達成へと駆り立てる力が必要です。変革にかかわる目標達成が、現在ほど困難な時代はなかったでしょう。新しいビジネスモデルやビジネス戦略の構築と実践、製品ライフサイクルの短期化、グローバルな組織再編、企業の買収や統合など、変革を要求される局面は枚挙にいとまがありませんが、変革にうまく対応することは容易ではありません。我々の研究では、調査した事例の七〇パーセントが、必要な変革に着手していない、やってみたが失敗した、やってみて成功したが当初の期待にはほど遠い、のいずれかであることが明らかになっています。我々が知る限りでは、真に成功した事例はわずか一〇パーセントに過ぎません。そして、この一〇パーセントの事例すべてに明らかなパターンがあるのです。

私が八段階の変革プロセスについて初めて執筆したのは『企業変革力』（日経ＢＰ社刊）という本です。その続編として『ジョン・コッターの企業変革ノート』（日経ＢＰ社刊）を著し、この寓話はシリーズ第三作目になります。

第一作目は、同種の書籍の中でこの二〇年間ベストセラーになっています。この本に問題があるとすれば、それは人間の感情よりも理性に語りかけていることと、組織階層の中低層よりも頂点にいる人々を対象にしていることでしょう。

なぜこれが問題なのでしょうか。歴史に名を残す偉大な指導者たちを研究すると、彼らは人間の感情と理性の両方に語りかけています。現在もっとも成功している組織で何が起こっているかに目を向けてみると、本書に登場する中間層のペンギンやペンギンたちのリーダー議会、それに幼いペンギンたちが自ら示したのと同じ種類のリーダーシップが発揮されていることがわかるでしょう。

本書を寓話風に描いたのには多くの理由があります。寓話なら効率よく、四五分もあれば読み終わります。それに読者層を問いません。本書がビジネス書のベストセラー第一位になっている国々では、ＣＥＯ（最高経営責任者）にも高校生にも読まれています。また寓話は有史以来、物事を学ぶうえでもっとも多く使われている形式を利用しています。つまり、単純明快なストーリーです。その理由については、優秀な神経科医なら説明、もしくは推測ぐらいはできるでしょう。

私見で恐縮ながら、日本の中間層や底辺の人々は、マネジメント能力は長けていても、状況を打開する、変革するリーダーシップにおいて、その潜在能力を十分に引き出していないように見受けられます。それは日本のビジネス社会特有の文化によるものかもしれませんが、このことがこの素晴らしい国の将来にどのような効果をもたらすのかはわかりません。ただ、どのような状況でも、より多くの変革に対処するためには、より幅広い階層でより豊富な知識に基づくリーダーシップを発揮することが不可欠です。私はこの一冊の小さな本が、この困難に立ち向かうための一助となることを願っています。

二〇〇七年五月

ジョン・コッター

マサチューセッツ州ケンブリッジ

序文

本書は一見寓話のようであり、読みやすくて簡単そうな印象を与えるかもしれません。しかし、それはまさに「氷山の一角」に過ぎないのです。

本書の著者であるハーバード・ビジネススクールのジョン・コッター教授と共に仕事をして私が感じたのは、彼ほど組織変革に詳しい人物は世界中のどこにもいないということです。絶賛された彼の著書『企業変革力』を読んだ世界中の企業リーダーやマネジャーは、彼が提唱する八段階のプロセスこそが変革を成功させる秘訣だと確信しているはずです。

ではそれが、我々一般市民と何の関係があるのでしょうか？

そう、本書はあらゆる種類の組織で働くあらゆる人々——つまりは一般市民——も、この八段階を利用すれば、移り変わる時代の中でもっと多くの成功を手にできることを教えてくれます。

コッター教授と、同じく豊かな創造力を持つ共著者のホルガー・ラスゲバー氏は、不利な条件の中でペンギンの群れがこの八段階の変革プロセスを活用する様子を我々に見せてくれます。ペンギンたちが、このプロセスについて何も知らないかのように。

あなたの本分が働くことにせよ、生きることにせよ、ＣＥＯから高校生にいたるまで、誰もがこの物語から何かを得られるでしょう。

これから始まる物語を楽しみながら読み進めるうちに、こう自問したくなるかもしれません。「私にとっての『氷山』は何か？　このストーリーの中に見つけたものをどう生かせるか」と。

その次は、仲間とその問題を共有してみましょう。結局のところ、全員が一致団結すれば、物事はうまくいくものなのです。

『チーズはどこへ消えた？』の著者
『１分間マネジャー』の共著者
スペンサー・ジョンソン

ようこそ

これから始まる物語は、数々の賞を受賞した論文「変革プロセスをいかに成功させるか」をベースとしたものです。物語を読む前に本書の成り立ちや八段階の変革プロセス、あるいは変化の激しい時代においてこの寓話が果たす役割について知っておきたいという皆さんには、物語の後に参考資料を掲載しています。

そうでない方は、座り心地のよい椅子を見つけて、さあ、読み始めましょう。

カモメになったペンギン

僕らの氷山が溶けるなんて、絶対にありえない

昔々、氷に覆われた南極の、現在はワシントン岬と呼ばれている辺りの氷山にペンギンたちのコロニーがあった。

その氷山は、何年も何年も前からそこにあった。まわりの海にはエサとなる魚が豊富にいて、氷山の表面にできたぶあつい万年雪の壁は、ペンギンたちをすさまじい冬の嵐から守ってくれた。

ペンギンたちの記憶にある限り、彼らはずっとその氷山で暮らしてきた。

「ここが僕らの家さ」

もし、あなたが彼らの氷と雪の世界を見つけたのなら、きっとペンギンたちはあなたにそう言うだろう。そしてこう付け加えるはずだ。「これからもずっと僕らの家であり続ける」と。彼らは論理的に考え、そう固く信じていた。

彼らの生きる世界では、無駄な労力を使うことは禁物だった。コロニーの仲間は、身を寄せ合わなくては生き残れないことを知っていた。だからこそ、助け合って生きる方法を学んだのである。コロニーは大きな家族みたいなものだった（もちろん、それが良いときもあれば、悪いときもある）。

ペンギンは本当に美しい鳥だ。皇帝ペンギンと呼ばれる種類は、南極に生息する一七種の中でもっとも大きい。彼らは年がら年中タキシードを着込んでいるように見えた。

そのコロニーには、二六八羽のペンギンがいた。その一羽がフレッドだった。

フレッドは、見た目も動き方もほかのペンギンと何も変わらない。あなたが動物嫌いでなければ、彼の姿を見たらきっと「かわいい」とか「りりしい」とか言うだろう。でも、あるひとつの点で、フレッドはほかのペンギンたちと決定的に違っていた。

フレッドの好奇心と観察力は、並大抵のものではなかった。

ペンギンたちはエサを求めて海に出る――南極にはほかに食べ物がないのだから、それは当然の仕事だった。でもフレッドは違った。彼はあまりエサ捕りをせず、その代わりに氷山と海について研究していた。

ペンギンは普通、仲間や家族と過ごすことが多い。フレッドは良き夫であり父親だが、あまり仲間と交わるほうではなかった。彼は自分の観察したことをノートにまとめるために、ひとりになることが多かった。

フレッドは変わり者で、仲間から敬遠されるタイプなのだろうとあなたは想像するかもしれない。だが、それは正解ではない。フレッドは自分が正しいと思うことをただ黙々とやっているだけだった。

でもその結果、自分が観察してきたことへの不安が、次第に大きくなっていった。

フレッドは、観察記録や考察、結論を書き留めたメモをいっぱいに詰め込んだ書類カバンを持っていた（そう、書類カバン。これは寓話ですから）。これらのメモの内容はだんだん穏やかではなくなり、ついにはある事実を暴き出した。

氷山が溶けている。もうすぐ崩れるぞ!!

氷山が突然バラバラに分裂したら、ましてやそれが冬の嵐の最中に起こったとしたら、ペンギンたちは大惨事に巻き込まれ

るだろう。年老いたペンギンや幼いペンギンが命を落とすことは間違いない。その後どうなるかなど誰にわかるだろうか？　そんな突然の悲劇に備える方法なんて、ありはしないのだ。

フレッドはすぐにうろたえたわけではなかった。だが、観察を続ければ続けるほど、動揺を抑えることはできなくなった。

何かをしなくてはならないことはわかっていた。でも、フレッドはその事実を公表したり、ほかのペンギンたちに命令したりできるような立場にはなかった。彼自身がコロニーのリーダー格でもなければ、リーダーの息子でも兄弟でも父親でもないからだ。そのうえ、実績ある予言者でないのはもちろんのことで、氷山の崩壊を警告したところで信じてもらえるはずもなかった。

以前、友人のハロルドがある発言をしたとき、コロニーの仲間から彼がどんな風に扱われたか、フレッドは覚えていた。ハロルドは「僕らのこの家は、年々もろくなっている」とみんなに忠告したことがあった。誰も関心を持たないことがわかると、ハロルドは必死で証拠を集め始めた。ところが、仲間の反応は冷ややかだった。

「ハロルド、きみは心配し過ぎだよ。イカでも食べたらどうだい？　気分が良くなるよ」

「もろいだって？　おいハロルド、飛び跳ねてみようぜ。俺たち五〇羽が一斉にピョンピョン跳ねたら、いったいどうなるっていうんだい？」

「ハロルド君、きみの観測結果は実に興味深い。しかし、この結果からはほかにも四つの可能性が考えられる。ご承知の通り、次のように仮定するとだね……」

何も言わないペンギンもいたが、ハロルドへの態度は変わっていった。実に微妙な変化だったが、フレッドはそれに気付いていた。それは明らかに好ましい変化ではなかった。

フレッドは何だか心細くなってきた。

いま僕にできることは何だろうか？

ペンギンのコロニーにはリーダー議会と呼ばれるものがあった。この議会は《グループ・テン》とも呼ばれ、党首ペンギンが陣頭指揮を執っていた（ティーンエイジャーのペンギンたちも別名のグループを組織していたが、それはまた別の話だ）。

アリスは、一〇羽のリーダーペンギンの中のひとりだった。彼女はタフで、実行力があると評判のリーダーだった。また、コロニーの仲間とも親しく、お高くとまっているほかの連中とは違っていた。実際のところ、ペンギンの中でも皇帝ペンギンという種類は、ちょっとお高くとまっている印象があるが、彼らの全部がそうというわけではない。

フレッドは、ほかのお偉方と違い、アリスなら話を聞いてくれるのではないかと考えた。そこでフレッドは彼女に会いに出かけた。相手がアリスなら、あらかじめアポを取る必要もなかった。

フレッドは、彼女に自分の研究内容とその結論を説明した。アリスは注意深く話を聞いていたが、正直なところ、フレッドは個人的な問題を抱えているのでは、と心の底で思っていた。

しかし……さすがはアリス、フレッドの話を一笑に付したりはしなかった。その代わりに、慎重な態度でこう言った。

「その問題がもっともはっきりとわかるところに、私を連れて行ってちょうだい」

その「場所」は氷山の表面ではなかった。氷が溶けてその影響が表れているのは、見えにくいところ、つまりは氷山の表面下や内部だったのだ。フレッドはそのことを彼女に説明した。アリスは話を聞くと、忍耐強いペンギンらしからぬ態度で、「ええ、結構よ。さあ行きましょう」と言い放った。

ペンギンは水の中では格好の標的となる。ぼやぼやしているペンギンを捕らえようと、ヒョウアザラシやシャチが身を潜めているからだ。その惨劇の映像を思

い浮かべるまでもなく、誰だってヒョウアザラシやシャチに捕まりたいとは思わないだろう。フレッドとアリスは、無意識のうちに身を引き締め、海へ飛び込んだ。

フレッドは水面下で、氷山の融解によってできた亀裂や劣化のしるしのある場所をアリスに教えた。こんなすごい兆候を今までどうして見過ごしてしまっていたのか、と彼女は驚いた。

次にフレッドは、氷山の側壁にできた巨大な穴を見せようとアリスを案内した。幅二、三メートルの水路を抜けて氷の中心部まで泳いでいくと、そこには水で満たされた大きな洞穴があった。

アリスは今見たものすべてを理解したようにふるまおうとしたが、彼女の得意とするところはリーダーシップであり、氷山の科学ではなかった。フレッドもアリスが困惑しているのを感じた。そこで海から上がると、フレッドは説明を始めた。

手短に話すと――

自分たちが暮らす氷山は単なる氷の塊とは違うのである。融解によってその内部には水路とも言える亀裂が走り、さらにその先には洞穴と呼ぶべき大きな空間ができている。そしてその水路と洞穴には完全に水が注ぎ込んでいるのである。

寒い冬の間、狭い水路に充満した水はすぐに凍結し、洞穴の中の水を閉じ込める。しかし気温がもっと下がると、洞穴の中の水も凍るだろう。液体が凍るとその体積は劇的に膨張するため、氷山はこなごなに砕ける可能性がある。

数分後、アリスはなぜこれほどまでにフレッドが心配しているのかを理解し始めた。この問題の重要性はいったい……？

これはどう考えても一大事に違いない。

アリスは動揺していたが、そう見られないようにふるまった。その代わりに、フレッドに矢継ぎ早に質問を投げかけた。

「あなたが見せてくれたものについて、検討する必要があるわね」

とアリスは言った。

「すぐに仲間のリーダーたちに話をしてみましょう」

アリスの腹はもう決まっていた。

アリスはフレッドに「あなたの助けが必要よ。この問題を一緒に考えてくれる仲間を集めてちょうだい」と言うと、ちょっと考えてからこう続けた。「そうね、どんな問題も知りたくないっていうタイプのペンギンがいいわ」

アリスは別れを告げた。フレッドは良かったと思う反面、困ったことになったとも感じた。

良かったこと――フレッドはもはやただのペンギンではなく、大惨事を予見し、この問題の緊急性を感じた唯一のペンギンとなった。

困ったこと――フレッドはまだ解決策を見つけていない。それにアリスが言った「どんな問題も知りたくないっていうタイプのペンギン」を「集める」のはあまり気が進まなかった。

おそろしい南極の冬がやってくるまで、あと二カ月しかない。

問題？　何が問題なんだ？

その後の数日間、アリスはリーダー議会のメンバー全員に接触した。その中には、党首ペンギンのルイスもいた。アリスは、フレッドに連れられて行った場所を視察に行こうとリーダーたちを説得してまわったのだ。彼らはアリスの話を聞いてはいたが、本気にはしていなかった。きっとアリスは何か別の個人的な問題、家庭内の問題を抱えているんじゃないだろうか、と。

アリスが接触したメンバーの誰ひとりとして、薄暗い巨大な洞穴まで泳いで行こうという気持ちになった者はいなかった。数羽のリーダーは、アリスに会う時間を作ろうとさえしなかった。彼らはほかの重要案件で忙しいことを理由にしていたが、それはある口うるさいペンギンが、自分の見ていないところでほかのペンギンがしかめっ面をして困っている、という苦情を処理するためだった（ペンギンは本来しかめっ面ができないので、これはちょっと複雑な案件だと言えよう）。

また彼らは、早口が好きなペンギンのタイプとそうでないタイプをどう区別するかという差し迫った問題を議論するのに、週例会議の時間を二時間にするか、それとも二時間半にするかの討論の真っ最中だった。

アリスは党首ペンギンのルイスに、次回のリーダー議会にフレッドを呼んで彼の意見とその正当性を説明してもらおうと提案した。「きみの話を聞いたときから、フレッド君がどんな話をするのか、ぜひとも聞いてみたいと思っていたのだよ」と、ルイスは言った――愛想笑いを浮かべながら。

しかしルイスは、これまでリーダー仲間になじみの薄いペンギンのプレゼンテーションのために時間をつくったことはなかった。それでもアリスは、ある程度のリスクを負う覚悟が必要であることを彼女のボスに思い出させ、「あなたがこれまで果敢に挑んできた難題のように」と付け加えた。多かれ少なかれ、それは事実だった。ルイスはそんなアリスの言葉にすっかり気を良くした（アリスの本心は見え透いている、にもかかわらずだ）。

ルイスはフレッドを議会に招くことに同意した。アリス、お見事。

リーダー議会に向けて、フレッドはスピーチ原稿の準備に取りかかった。水路や水の充満した洞穴の状態、明らかに氷の融解が原因と考えられる亀裂の数など、わかる限りの統計データを使って、彼らの家である氷山の現状を説明しようと考えたのだ。しかし、コロニーの長老の何羽かにグループ・テンについて尋ねたところ、こんな答えが返ってきた。

- リーダー議会のメンバーのうち二羽のボスたちは、あらゆるデータの正当性について議論することが大好きだ。彼らが愛しているのは、何時間も何時間も何時間も討論することだった。この二羽が会議の長期化を図ろうと、いつも声を大にしている。
- 一羽のリーダーは、統計データがずらっと並んだ長いプレゼンテーションの最中には、決まって居眠りをする――もしくは目がトロンとしてしまう――癖がある。彼のいびきの破壊力は相当なものだ。
- また別のリーダーは数字を見るとひどく落ち着かなくなる。彼はそれを隠そうと、何度も大きくうなずいてみせる。しかしずっと彼の頭が動いているので、ほかのメンバーのイライラが募り、しまいには会議の雰囲気が悪くなってつまらない口論に発展することもある。
- そのほかのメンバーの中で少なくても二羽は、「**話を聞かされる**」のを好まないことをはっきりと態度で示している。自分の職業は「**話をする**」ことだと思っているからだろう。

いろいろ考えた末、フレッドは来たるべき会議でのプレゼンテーション方法を当初のプランとは違うものへと変更することにした。

フレッドは氷山の模型を作ることにした。大きさは約一・二メートル×一・五メートルで、素材には本物の雪と氷を使った。模型制作はフレッドにとってそう簡単な作業ではなかった（なにしろペンギンには手も指も、物をつかむのに便利な親指もないのだから）。

模型が完成したとき、フレッドはその出来栄えには満足できなかった。しかしアリスは、このアイデアはすごく独創的で、リーダーたちに問題を理解させるのに十分役立つと感じた。

会議の前夜、フレッドは友人たちと一緒に、その模型をリーダーたちの集会場所まで運んだ。そこはあいにく、氷山のもっとも小高い丘の上にあった。丘の中腹まで来ると、不満が出始めた。「なんで僕がこんなことをしなきゃならないんだ？」という文句はまだ、仲間の不満の中でも寛大なほうだった。もしペンギンがうめき声やうなり声を上げることができるとすれば、丘の上にはその両方の声の大合唱が聞こえたことだろう。

次の日の朝、フレッドが到着したときにはもうリーダーたちは氷山のまわりに集まっていた。生き生きと討論に興じている者もいれば、不可解そうな顔をした者もいた。

アリスは、メンバーにフレッドを紹介した。

党首ペンギンのルイスがいつものように会議の始まりを告げた。

「さあフレッド君、君が発見したものについて我々に聞かせてもらおう」

フレッドは深々とおじぎをした。彼は、ルイスと数羽のメンバーは自分の話をちゃんと聞いてくれそうだと感じた。そしてそのほかは中立的な態度だったが、その中の二、三羽は懐疑的な態度を隠そうと努力しているように見えた。

フレッドは自分の思考を研ぎ澄まし――そして勇気を振り絞って――、彼の発見の顛末を話し始めた。まず、氷山を調査するために考案した方法を説明し、次に氷山が溶けたことによって起こったあらゆる現象――表面の劣化、水路の開通、水が充満した巨大な洞穴――を発見した経緯について述べた。

フレッドは頻繁に模型を使い、聞き手が彼の説明とその重要ポイントを理解できるように心がけた。リーダー議会のペンギンのうち、一羽を除いて全員が模型のすぐそばまで近寄ってきた。

巨大な洞穴がどれほどおそろしい影響をもたらすかを見てもらうために、フレッドが模型の上半分を取り外したとき、雪が降る音が聞こえそうなほど静まり返った。

彼のデモンストレーションが終わると、沈黙が流れた。

議論の口火を切ったのはアリスだった。

「私はこのすべてを自分の目で見ました。水で満たされた洞穴は巨大でゾッとするものでした。氷山の融解が原因と思われるそのほかの兆候も、すべてこの目で確認したのです。もうこれ以上放っておくわけにはいきません！」

数羽がうなずいた。

リーダー議会のメンバーには、ノーノーという名前の年老いた体格の大きいペンギンがいた。ノーノーは気象予測を担当していた。彼の名前の由来には二つの説がある。ひとつは彼のひいおじいさんがノーノーと呼ばれていたこと。もうひとつは、彼が赤ちゃんだったころ、最初に話した言葉が「ママ」や「パパ」ではなく「ノーノー」だったことだ。

ノーノーは自分の出した気象予測がはずれて非難を受けるのには慣れていた。しかし、氷山の融解というこの一件は、彼にとって衝撃が大き過ぎた。彼は自分の感情を抑えられずに、大声を出した。「わしは定期的にこのグループで、わしが観測した気象状況と氷山への影響を報告してきた。今まで言ってきたとおり、暖かい夏の間に融解が起きるのは当たり前のことで、冬の間にすべてが正常に戻る。フレッド君が見てきたこと、もしくは見てきたと思ったことには、何ひとつ目新しいものはない。心配する理由がどこにあると言うんだ！　我々の氷山は固くて頑丈だ。その程度の変動には持ちこたえられるわ！」

ノーノーの声はどんどん大きくなっていった。ペンギンの顔が赤くなるのなら、彼の顔は真っ赤に染まっていただろう。

ノーノーは仲間の何羽かが自分に味方してくれそうなのを見て取ると、フレッドを指差し大げさな調子で話し始めた。

「このお若い同胞は、氷山が溶けて水路ができたと言った。しかしそんなことはない。そしてこの冬、水路が凍ると巨大洞穴に水が閉じ込められるとも言った。しかしそんなこともありえない！　洞穴の水が凍るとも言ったが、それもない。水が凍ると体積が増えるとも言った。だが、それも間違っている！　もし仮に彼が言ったことが本当になったとしても、我々の氷山は洞穴の水が凍ったぐらいで無残に砕けてしまうほどもろいものだろうか？　彼の話が単なる――そう、仮説ですらないことがどうしたらわかるだろうか？　でたらめな推論か、もしくは恐

怖を声高に広めようとしているだけではないのか？！！！」

ノーノーはちょっと間を置いてから仲間をにらみつけ、ノックアウトパンチとなる一撃をフレッドに食らわせた。

「きみは、自分のデータと結論が一〇〇パーセント正しいと保証できるのかね？」

四羽のリーダーがうなずいた。一羽はノーノーと同じぐらい興奮し始めていた。

アリスはフレッドを勇気づけようと、そっと視線を送った。彼女が伝えたかった言葉はこうだ。「大丈夫（本当はそうではないけど）、この場はうまくしのげるわ（私にだってわからないわ）。ここは遠慮せずに話を進めて、落ち着いて反論するのよ（「ノーノーのばかやろう」って叫びたいのを我慢するのは私だってつらいけど）」

フレッドは何も言わなかった。アリスはもう一度、彼を目で励ました。

フレッドはためらいながら答えた。

「正直言って、答えはノーです。みなさんに保証はできません。ええ、私のデータは一〇〇パーセント正確とは言えないでしょう。しかし、昼も夜も暗い冬の間や、身動きの取れない吹雪や強風の最中に、溶けかかっている氷山がこなごなに砕けてしまったら？　私たちの仲間が大勢死なないと言えるでしょうか？」

フレッドのそばに立っていた二羽のリーダーが震え上がったように見えた。フレッドは彼らのほうに向き直って言葉を続けた。「そんなことは起こってほしくないでしょう」

リーダー議会のメンバーの大半はまだ半信半疑の様子だった。アリスはノーノーに厳しい視線を向けるとこう言った。「子供を亡くした両親を想像してください。彼らは私たちのところへ来て、こう尋ねるでしょう。『どうしてこんなことが起きたのか？あなたたちは何をしていたのか？　なぜこのような事態を予見しなかったのか？』と。さらに『コロニーを守るのが議会の仕事だろう！』とも責められるでしょう。この両親たちに何と答えるつもりですか？『申し訳ない。こういう問題が起こるかもしれないとは聞いていたが、その情報は一〇〇パーセント確かなものではなかったものだから』と答えるんですか？」

アリスは自分の言い分を十分に理解してもらうために、一瞬間を置いた。

「彼らが言葉にできないほどの悲しみを抱えて私たちの前に立ち尽くしたら、何と声をかけるのですか？　そんな悲劇が起こらないことを願っていた、ですか？　一〇〇パーセント確実でないことを行動に移すのは適切ではないと思っていた、ですか？」

そのときまた、雪が降る音が聞こえたような気がした。

威風堂々とした彼女の外見とは裏腹に、アリスは心から怒り、氷山のモデルを持ち上げてノーノーに投げつけたいと思っていた。

党首ペンギンのルイスは、グループ内の空気が変化していることを感じた。彼は言った。「フレッド君の話が正しいとすれば、この危険が迫っている冬がやって来るまで、あと二カ月しか残されていない」

別のリーダーが発言した。「我々のメンバーの中から委員会を組織して、現状の分析と可能な解決策の調査に当たる必要がありますね」

リーダーの多くがうなずいた。

また別のリーダーも口を開いた。「コロニーの仲間がこれまで通り生活できるように、我々ができる限りのことをしなくてはならないのはもちろんだ。この時期、成長期のヒナたちは大量のエサを必要とする。だから混乱は避けたい。有効な解決策が見つかるまで、このことは外部に知られないようにすべきだろう」

アリスは大きく咳払いをすると、決意を固めたように意見を述べた。

「問題が起きたとき、委員会を結成し、コロニーの仲間を不愉快なニュースから保護しようとするのは、私たちがいつもやっていることです。しかし今回の問題の大きさは並大抵のものではありません」

ほかのリーダーは彼女を見つめた。彼らの心には一様に、「彼女はこの一連の論理をどこに持って行こうとしているのだろう?」という疑問が浮かんだ。

アリスはこう続けた。

「コロニーの全体集会を大至急招集して、大問題が起きていることをできるだけ多くの仲間に受け入れさせる必要があります。友人や家族の協力が多く得られれば、大多数が受け入れられる解決策を見つけ出すチャンスも広がるはずです」

ペンギンというのは本来、きわめて抑制の利いた行動を取れる生き物だ。それが、会議に出席中のリーダーペンギンならなおさらである。しかし今は数羽が完全に我を忘れて、一斉にしゃべり始めてしまった。

「全体集会だって‼」、「……その危険は……」、「……そんなことは今まで一度も……」、「……パニックに……」、「……困った、困った、困った……」、「……それで私は何と言えば……」

それはあまり美しい光景とは言えなかった。

「僕に考えがあります」。フレッドが慎重に口を挟んだ。「二、三分お時間をいただけますか？　長くはかかりません」

誰も何も言わなかった。フレッドはこの沈黙を承諾のサイン――少なくても却下ではない――と受け取った。

フレッドは大急ぎで丘を降り、探し物を見つけて、またその丘を登り始めた。グループ・テンのメンバーはまた早口でやかましくしゃべっていたが、ガラスビンを手にフレッドが戻ってきたのを見ると口を閉じた。

「それは何？」とアリスが尋ねた。

「僕にもよくわかりません」。フレッドは答えた。「ある夏、私の父が氷山のはずれに流れ着いていたのを見つけたのです。一見氷のように見えますが、氷ではありません」。そう言うと彼は、そのガラスビンをくちばしの先でコツコツとたたいてみせた。「氷よりもずっと固いものです。上に座ってみると、これがだんだん温かくなってきますが、溶けることはありません」

リーダーたちは初めて目にする物体をじっと見つめていた。それで……？

「この中いっぱいに水を満たしてみましょう。そして上の部分の穴をふさぎ、冷たい風に当たるところに置くのです。明日の朝、水が凍って膨張する力でこれが割れたところが見られるはずです」

フレッドは、彼のアイデアの論理をしっかりと理解してもらうために、少し間を置いた。

彼は言葉を続けた。「しかし、万が一割れなかったら、なにも慌ててコロニーの全体集会を招集しなくてもいいのではないでしょうか？」

アリスはすっかり感心して聞いていたが、危険かもしれない、とひそかに感じた。

ノーノーは、これは何かのトリックに違いないと疑っていたが、そう簡単には見抜けなかった。それでもこのばかげたことはもうすぐ終わるだろうと考えていた。

党首ペンギンのルイスは、ノーノーを見ていた。

ルイスは判断を下した。メンバーたちにこう告げたのだ。

「それでは、やってみることにしよう」

さっそく全員で実験に取りかかった。

ルイスはガラスビンに水を入れ、ちょうどぴったりサイズの魚の骨で栓をした。彼はそのビンをリーダー議会の庶務係であるバディに渡した。彼は物静かで少年のように若々しいハンサムなペンギンで、誰からも好かれ、信用されていた。

ここで今日の会議は解散になった。

フレッドは礼儀正しくしなくてはならない場面では、首を真っ直ぐに突き立てることをいとわなかったが、そうすると決まってひどく緊張した。だからその晩、彼はぐっすりと眠ることができなかった。

翌朝バディが氷の丘に上って来るときには、ほかのリーダーたちは全員、丘のてっぺんから彼を見下ろしていた。彼が上までたどり着くと、一羽が口を開いた。

「どうだった?」

バディはビンを取り出した。それは明らかに、ビンの内部よりも大きく膨張した氷の力で割れていた。

「僕は信じるよ」と、バディは言った。

メンバーたちは半時間ほどの間、ガヤガヤと議論していた。リーダーたちは口々に行動を起こすことの必要性について語っていたが、二羽だけはこれに同意しなかった。二羽のうちのひとりは、もちろんノーノーだった。彼は「きみたちの目のつけどころはいいかもしれんが、しかし……」と反論した。

彼は仲間から相手にされていないも同然だった。

ルイスはリーダーたちに告げた。

「コロニーのみんなに全体集会を開くことを伝えてくれ。しかしまだ、その理由が何かを伝えてはならない」

コロニーのペンギンたちは、なぜ全体集会が開かれるのか興味しんしんだった。しかしアリスは、リーダー議会のメンバーたちがくちばしを固く結んでいると信じていた。メンバーたちの間には興奮と不安の入り混じった雰囲気が流れていた。

大人たちはもうほとんど集まっていた。彼らの話題は、氷の上でのいつも通りの暮らしのことだった。

「フェリックスがブクブク太ってきたのよ。運動もしないで、魚ばっかり食べているせいね」「そんなにたくさんの魚がどこで捕れるだい？」「あのね、これがちょっとおもしろい話なのよ」

ルイスは会議の始まりを告げるとすぐに、その場をアリスに引き継いだ。

アリスは、フレッドと海を泳いだこと、氷山が融解する兆候をたくさん見たこと、水が満杯の大きな洞穴があったことを話した。次にフレッドが氷山の模型を見せながら、これらを危険だと判断した理由について説明した。バディは、ガラスビンの実験について話した。そして最後に、党首ペンギンのルイスが「我々は行動を起こさなければならない。まだどうすべきかはわからないが、我々は必ず解決策を見いだせると確信している」と述べて集会を締めくくった。

その後で、コロニーの仲間が個々に氷山の模型やガラスビンを間近に見られる機会が設けられた。彼らはフレッドやアリスに質問したり、ルイスにもっと詳しい話を聞いたりしていたので、集会は午前中いっぱいかかった。

ペンギンたちは呆然としていた。普段はどんなことにでも「うん、まあいいよ。でも……」と答える者でさえ言葉を失っていた。何事も「OK、OK、OKサンキュー」ですませていた現状に甘んじる気持ちは、大海原に流出し始めていた。フレッドもルイスもアリスも、そのこと――コロニーの仲間が根っから**【変化】**には慣れていないこと――に気付いていなかった。しかし、現状への甘えを手放す代わりに危機意識を高めることで、コロニー救出の第一歩を着実に進むことができると信じることにした。

全体集会が解散すると、またガヤガヤと話し声が聞こえてきた。

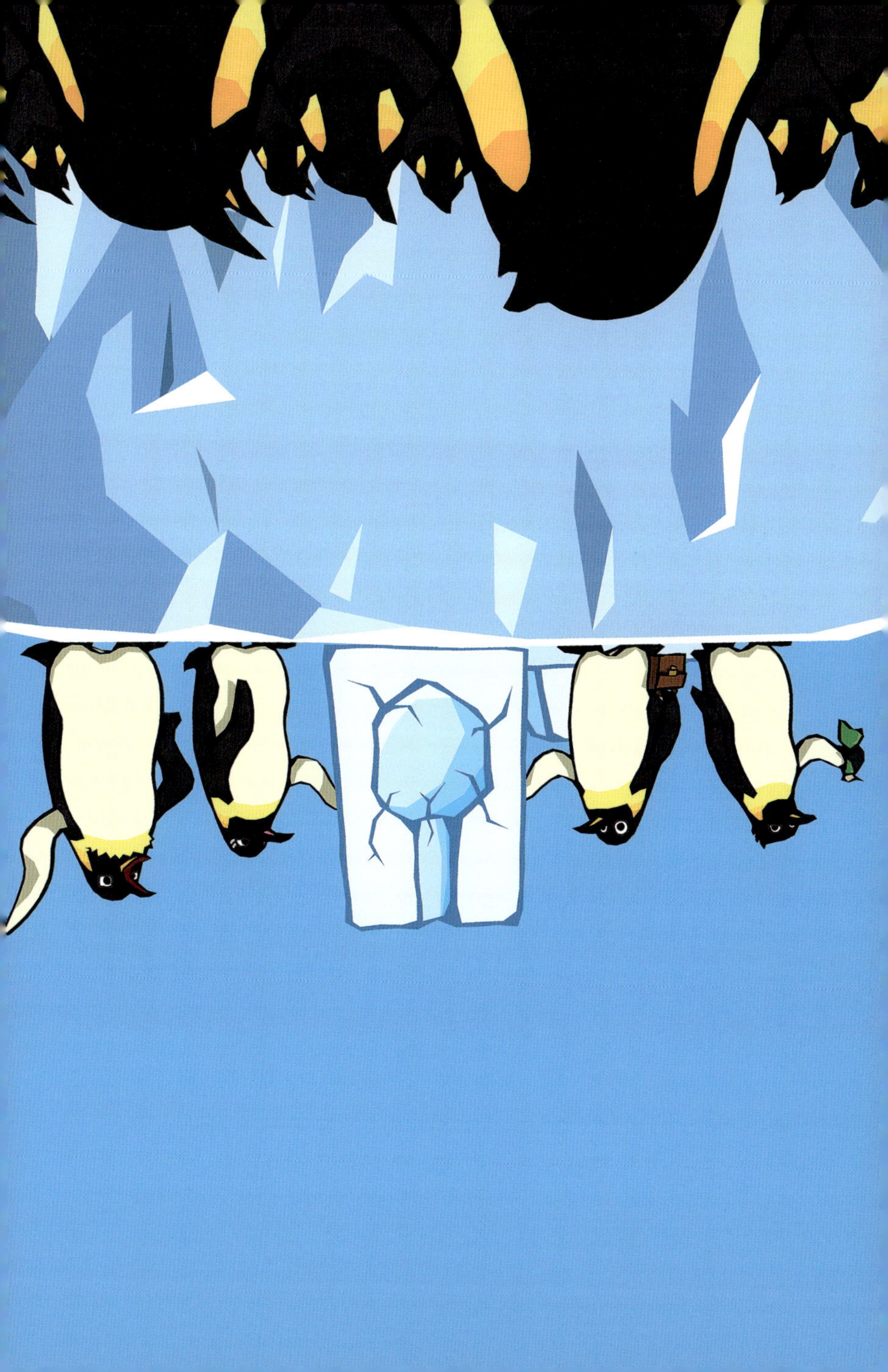

この仕事はひとりではできない

　次の朝、ノーノーの友人がルイスのところにスーッと近づいてきた。ペンギンは腹ばいになって滑ることができるが、人間の目には奇妙に映るかもしれない。彼はルイスに、氷山が溶けるという問題は、党首ペンギンであるルイスひとりで解決すべき「義務」だと告げた。「それこそがリーダーの務めだ。あんたは偉大なリーダーだ。助けなど必要ない」。そう言うと、彼はまたスーッと（もしくはズルズルと）去っていった。また別のペンギンはルイスに、この問題は氷山に詳しい若手に任せてはどうかと進言した。ルイスは寛容な態度で、それらのペンギンたちはコロニーでの信頼も、リーダーとしての技量も経験もなく、そのうえあまり好かれていない者さえいる、と指摘した。ルイスに進言したペンギンは「だから何だと言うんですか？」と尋ねた。

　ルイスは次に取るべき手段を考えるため、アリス、フレッド、バディ、そしてジョーダンというペンギンを呼んだ。ジョーダンは氷山の北西部の静かなところに住んでいた。彼はリーダー議会のメンバーにもっとも近い有識者として知られていたので、「教授」という愛称で呼ばれていた。もし彼らの氷山に大学があったとしたら、ジョーダンはその大学の終身教授になっていただろう。

ルイスはこう切り出した。「我々のコロニーがこの難局を乗り切るためには、みんなを導く**【チーム】**が必要だ。私ひとりではこの仕事はできない。この仕事を進めるには、我々五羽でチームを組むのが最適だと思う」

アリスはわずかにうなずいた。バディは困惑した表情を見せた。フレッドは、まだ若い自分が一員になっていることに驚いた。しかし、最初に口を開いたのは教授だった。

「この五羽ならうまくいくと考えた理由をお聞かせ願いましょう」と彼は言った。

ルイスはいつもの寛大な様子でうなずいた。アリスは、いら立った気分を見せまいと努めた。もし彼女が時計を持っていたら――もちろん持っていないが――、

片脚で地面をイライラと踏み鳴らしながら時計をにらみ続けたに違いない。

「それはもっともな質問だ」とルイスは言った。「教授よ、我々五羽をよく見てくれたまえ。我らの任務を明確に考えるのです。それぞれの長所を頭の中でリストアップしてごらんなさい。おのずと答えが見えてくるでしょう」

ふだんルイスがこのような話し方をすることはない。だが、教授に話しかけるときだけは例外だった。

教授は水平線の向こうに目をやった。もし、彼の頭の中の脳がすさまじい速さで回転している音を聞くことができたら、きっとこのようなものだったに違いない。

- ルイス。党首ペンギン。経験豊富にて賢明。寛容。少し保守的。めったに動揺しない。そして誰からも尊敬されている。ただしノーノーとティーンエイジャーを除く。切れ者（知識レベルはそれほど高くない）。
- アリス。実践的。積極派。タフな実行力がある。意志が強く、脅しは通用しない。地位にこだわらず誰でも平等に扱う。切れ者（知識レベルはそれほど高くない）。
- バディ。少年のように若々しくてハンサム。野心はみじんもない。信用と好感度は抜群（主婦受けするタイプ）。知識レベルは決して高くない。
- フレッド。若手。好奇心と創造力は桁違い。沈着冷静。くちばしは立派。データ不十分のため彼の知能指数は判断不能。

- 私。論理的（きわめて論理的）。博学。さまざまな問題に関心あり。社交的なタイプではない。いったい誰も彼も社交的になりたがるのはなぜだろう？
- 仮にフレッドをAとすると、私はB、バディはC、アリスはD、党首ペンギンはEとそれぞれ異なった個性を持っている。創造性豊かなアイデア（A）を知識と論理（B）が支え、好感度（C）を伴った行動（D）を尊敬を集める党首（E）が統率するなら――A＋B＋C＋D＋Eは強力なグループとなりうる。

教授はルイスのほうに向き直り、こう言った。「あなたのおっしゃることは、非常に的を射ています」

バディは困惑しているように見えたが、それはいつものことだった。バディは教授の話を一度たりとも理解したことはないが、ルイスのことは信頼していた。アリスのいら立ちも多少収まってきた。党首ペンギンが党首ペンギンたる理由を、今一度思い出すことができたからだ。

フレッドは教授の頭の中で何が起こったのかを想像できなかったが、アリスやルイスと同様に、正しい方向に進んでいるということは理解できた。また彼は、年長で、しかも才能あるペンギンたちと一緒に仕事ができることに誇りを感じていた。

彼らはその後も一緒に行動した。話し合いは冒頭から困難をきわめた。

「ところで、我々の氷山は毎年何パーセントずつ縮小しているのでしょう？」と、議論の途中で突然教授が切り出した。「たしか、ブラディウィッチとかいうペンギンがその方法論を編み出したと何かで読んだことがある……」

アリスは二回咳払いをした。それもはっきりと聞こえるように。彼女はルイスをじろりと見ながら、口を挟んだ。「今は明日の私たちの行動計画を考えることに集中すべきだと思いますが」

バディの口調は穏やかだった。「ブラディウィッチ氏はとても素晴らしい方なんでしょうね」

教授はうなずいた。話を合わせてくれたことが嬉しかったのだ。たとえそれがバディだけだったとしても。

ルイスは話し合いを本筋に戻した。「少しの間、我ら全員で目を閉じてみたらどうかと思うのだが」。教授が目を閉じることの妥当性について質問する前に、覚首ペンギンは続けた。「理由は聞かんでくれ。年寄りの頼みだと思って大目に見てほしい。たった一分のことだ」

一羽、また一羽と目を閉じた。

ルイスは「目を閉じたまま、西を指してみなさい」と言った。ほんの一瞬ためらったあと、全員が言われた通りにした。「さあ、目を開けて」。ルイスは彼らに告げた。バディ、教授、フレッド、そしてアリスの四羽はみな、別々の方向を指していた。特にバディの羽は、わずかに上向きで空に向かっていた。

アリスは問題の本質を直感的に感じ、ため息をついた。教授は「おお、これは興味深い」と言った。フレッドはほんのわずかにうなずいた。バディは途方に暮れていた。

教授が語り出した。「なるほど彼が言いたいのは、我々が一緒に働けないとか、お互いに話し合ったり、影響し合ったりできない、とかいうことではない。我々は、それぞれ単独でもルイスの任務を助けることができるが、チームとして働くことができれば、それぞれ単独で働くよりも能力が高まるということですな。ご存知のように、ジョン・コッターの組織論によると……」

党首ペンギンは自分の翼を大きく広げて教授のスピーチを中断させると、みんなに声をかけた。「さて、昼食にイカでもいかがかな?」。この言葉で肥満気味の教授は動きを止めた。彼には頭脳よりも空腹な胃袋のほうが大切だった。バディも「それはいい考えですね」と同意した。

ペンギンはイカが大好物だ。この海の生物の大きさは、バスの車体ほどの巨大なもの——ジュール・ヴェルヌの『海底二万マイル』に登場する怪物イカのようなもの——から、ネズミよりも小さなものまでさまざまだ。ところがペンギンたちが好きな小

型のイカは、小悪魔のようにすばしっこい。彼らはいまいましい墨を天敵に吹きつけると、猛スピードで逃げる。イカとペンギンの一対一の勝負なら、イカに軍配が上がるのは明白だった。ペンギンたちはそのことを何年も前に悟り、その解決策を見いだした――集団でイカを追い込むのだ。

最初にルイスが海に飛び込み、ほかのペンギンたちが後に続いた。ペンギンは地上では前後に揺れながらぎこちなく歩く――チャーリー・チャップリンの動きにちょっと似ている――が、水中での彼らの動きは素晴らしく優雅で鮮やかだ。彼らは水深約五〇〇メートルまで潜り、およそ二〇分間も水中で活動できる。そして彼らの機敏性は二五万ドルのポルシェよりも優れているだろう。しかし……、いかに優秀なペンギンでさえも一羽ではイカ一杯すら捕まえられないのだ。

彼らが最初に出くわしたイカには、まんまと逃げられてしまったが、彼らのチームワークはしだいに良くなってきた。チームでの動きを調整し、ランチの魚を取り囲む方法を学習したのだ。最後には、全員が満腹になるだけのイカを捕まえることに成功した。大食漢の教授でさえ大満足だった。

空腹が満たされた後、ルイスの進行で話し合いが再開されたが、そこでは氷山の融解の問題やこれからの行動計画にはほとんど触れなかった。その代わりに彼が注目したのは、人生や愛する者のこと、それぞれの夢や希望といったテーマについてだった。

ペンギンたちの話し合いは何時間も続いた。

教授は、体系的で厳格な基準もなしに、人生について語り合うのは気が進まなかった。そこで彼はくちばしを閉じ、頭の中で静かに分析作業を行っていた。氷山が融解していること。フレッドがそれを見つけたが、現状に何の不安も感じていない仲間に、この事実を受け入れてもらうのは難しいと感じたこと。彼が最初に話をしたのはアリスで、実際にその問題部分を見せたこと。氷山の模型。

ガラスビン。全体集会。現状に甘んじる雰囲気が薄れたこと。ルイスがこの問題に対処するための組織を立ち上げたこと。メンバーの組み合わせがおもしろいこと。バラバラになりかけたメンバーの心が、ランチのイカ捕りと話し合いによってまとまりつつあること。

これらすべての出来事は、奇妙というよりも非常に興味深いことだった。

次の日の朝、ルイスたちはまた集まった。ルイスは一カ月あればこの五羽を結束力の固いチームにできるのに、と感じていた。しかし、彼らにその一カ月の猶予はなかった。そこで彼ができる最善のことは、二日間でメンバーたちが指し示す方向をできるだけ近づけることだと考えたのだ。ルイスはこれまで多くの難題をうまく解決してきたが、それは変革を指揮するには、チームをまとめるというステップが不可欠だと知っているからだった。

カモメ

せっかちなアリスは、氷山の問題を早急に解決するには、コロニーのほかの仲間の意見も聞いたらどうかと提案した。党首ペンギンは、ほかのペンギンの意見を聞くことが次のステップとして最適だとは思わなかった。また教授は、ほかの仲間の意見を聞く必要性をまったく理解できなかった。しかし議論の結果、アリスの意見が通った。

あるペンギン――テキサスの石油商人の心意気を持ったペンギン――は、氷の表面から洞穴に向かってドリルで穴を開け、洞穴の中の水に圧力をかけて押し出したらどうかと提案した。この方法はもっと大きな問題である融解そのものを解決することはできないが、これからやって来る冬の寒さの中で自分たちの家を破裂から救える可能性はあった。このドリル穴開け案の議論は、教授の指摘で打ち切りになった。コロニーの全ペンギン二六八羽が、一日二四時間せっせと作業しても、穴が洞穴まで到達するにはおよそ五・二年かかるからだ。

では次。

別のペンギンは、完璧な氷山を探そうと提案した。「融解も亀裂もなく、洞穴ができることもない、あらゆる点で理想にピッタリの氷山を見つければ、私たちの子供も孫も、こんな危険な目に遭うことはないでしょう。『完璧な氷山』探索委員会でも発足させますか？」と。幸いアリスは離れたところにいたので、この話は彼女の耳に入らずにすんだ。

はい次。

我々のコロニーごと、南極大陸の中心部に移動するのはどうでしょう？　そこなら氷はぶあつくて頑丈です。しかし、南極大陸の大きさ——その広さは米国の一・五倍以上もあるのだ！——を実際に知っているペンギンはいるだろうか？　丸々と太ったペンギンが言った。

「そうすると、海に出るのに結構な距離があるんじゃないのかい？　どうやって魚を捕るのかね？」

……次。

リーダー議会のメンバーのひとりが、シャチの脂肪から強力な接着剤のようなものを作り、氷山の亀裂を接着させたらどうかと提案した。この方法はもっと大きな問題である融解そのものを解決することはできないが、目の前に迫った危険を回避することは可能かもしれない。

ペンギンたちが、だんだん捨て鉢になってきているのは明らかだった。

そのとき、コロニーで尊敬されているある老齢のペンギンが、何か新しいことを試してみるように、と勧めた。「たとえば、フレッドがこのおそろしい問題を発見したときにやったのと同じことをするのはどうかね。目と心をしっかりと開いて、あちこちを歩き回ってみなさい。好奇心を忘れずにな」

党首ペンギンは新しいアプローチが必要だと感じていたので、この意見に賛成した。「さあ、やってみよう」。ルイスのかけ声に、メンバーたちは従った。

彼らは西に向かった。彼らが目にしたのは、美しい氷壁や仲むつまじい家族の姿だった。また氷山の融解や魚についての会話も聞こえた。この不安な状況を分かち合いたいと考えているペンギンたちの話にも耳を傾けた。

かれこれ一時間ほど経ったころ、フレッドがいつものていねいな口調で「あれを見てください」と叫んだ。

フレッドは一羽のカモメを見ていた。本来なら南極にカモメなど存在しないので、彼らは目を凝らしてじっと見た。あれは小さな、空飛ぶペンギンだろうか？　いや、違うだろう。

「おもしろい」と教授は言った。「空飛ぶ生き物に関する私の理論によるとですね――」話を続けようとすると、アリスが彼の肩を軽くたたいた。教授は二日前、アリスが彼の肩をたたくのは、「教授、あなたは素晴らしいわ。でも黙っていてちょうだい」という意味だと悟っていた。

「あれは何だろう?」とバディが尋ねた。

「僕にもわかりません」とフレッドは答えた。「ただ、鳥だってずっと飛んでいることはできませんから、地上のどこかに巣があるはずです。しかし、その巣がある場所としてはここは寒過ぎます」

メンバーたちは納得した。もしもカモメがペンギンと一緒に暮らしたら、一週間もしないうちに岩のように硬く凍ってしまうだろう。

フレッドは続けた。「あの鳥は迷子になってしまったのかもしれませんね。それもかなり遠くから来て。しかし、怯えているような

様子はないし……。もしかしたら、土地から土地へと移動しながら暮らしているのでは？　ひょっとすると、あの鳥は……」

フレッドは、ペンギンたちの言葉で「遊牧民」にもっとも近い意味合いの言葉を使った。

「それって提案じゃないわよね？」とアリス。

「そうなのかね？」と党首ペンギン。

「おもしろい」と教授。

「すみませんけど、いったい何の話ですか？」とバディ。

党首ペンギンは、バディの問いに実にわかりやすく答えた。「我々は今、これまでとは違うまったく新しい生き方を考えているのだよ」

彼らは何時間も何時間も話し合った。もしかすると……、しかしそれでは……、我々はどうすれば……、いやそうではなくて……、でも私たちにできるのは……、どうして……、きっとそれは……。

バディは尋ねた。「それで僕たちは次に何をするんですか？」

党首ペンギンの意見は「それについてはじっくりと慎重に考えねば」だった。

アリスの意見は「急いで次のことに取りかからないと」だった。

教授の意見は「しかし重要なのは、スピードより思考の質です」だった。

アリスは続けた。「まず、あの空飛ぶ鳥についてもっと調べる必要があるわね。ええ今すぐに」

党首ペンギンは同意した。教授は書き留めるものを探しに行った。それから、彼らは全員でカモメを探しに出かけた。

フレッドはちょっとばかり、あの名探偵シャーロック・ホームズになった気分だった。三〇分も経たないうちに、彼らはカモメを見つけた。

アリスはバディにささやいた。「あの鳥に声をかけてみてくれない？」

おやすい御用とばかりに、バディは優しく穏やかな調子で話しかけた。「やあ。こちらはアリス」と、まずはアリスを紹介した。「それから、こちらはルイスにフレッドに教授。そして僕はバディ」

カモメはただじっと彼らを見つめていた。

「あなたはどちらからいらしたんですか？」とバディは尋ねた。「それで、ここで何を探しているんですか？」

カモメは彼らとの距離を縮めなかったが、飛び立とうとはしなかった。ついにそのカモメは口を開いた。「私は偵察に来たのです。一族の仲間に先立って飛び、次に暮らす場所を探しています」

教授の質問が始まった。彼の質問は理にかなっているのだが、話が脱線することもしばしばあった（それを本筋に戻すのは、例の彼女の役目だった）。

それに答えようと、その鳥はカモメ一族の遊牧民的な生活やカモメがどんな鳥か（正直なところ、その話はペンギンたちの質問の答えとしては十分過ぎるものだった）について語り始めた。それから、偵察隊になるのはどんな気分かについても話した。寒さで不機嫌になり、うまくしゃべれなくなると、彼はペンギンたちに別れを告げて飛び立っていった。

教授とバディは、カモメにふさわしい生き方がペンギンにとっても適しているかについては、十分に納得できなかった。「我々は違う」「彼らは空を飛ぶ」「ペンギンが食べるのは新鮮でお

いしい魚だ」「でも彼らのエサは、その……、ウェ、吐き気がする」

「もちろん、私たちとは違うわ」。アリスはいつもよりも礼儀正しくふるまった。「つまり、彼らのやり方をそのままマネすることはできない。でも、この方法はとても興味深いわ」

「これからのコロニーの生き方が、私にはだいたい見えてきたわ。移動するという案はもう出ていたわよね。私たちは同じ場所にずっと居続けることも、溶けかかっている氷山を元通りにすることもできない。今直面している問題は、私たちを支えるものが永遠にそのまま続くわけではないということでしょ」

教授は質問を山ほど投げかけた。ルイスは口数こそ少なかったが、この議論やそれが示唆するものについて深く考えを巡らせていた。

アリスは言った。「氷山の融解という事実がわかったときに、どうして誰もこの方法をすぐに思いつかなかったのかしら？」

教授は「確かに、コロニーの『誰か』が考えつきそうなものだ。この方法はとても……論理的だ」と言った。

教授は首を右に向けた。彼の目に映ったのは、どんな未来だったのだろうか？　それは教授が考えた通りの光景だったかもしれないし、そうではなかったかもしれない。

覚首ペンギンは「たったひとつのやり方の中で長い間暮らしていると、まったく新しい生き方を考えつくことが、なぜこれほど難しいのだろうか？」と考えていた。

❄ ❄ ❄

教授は氷山が融解する理由を示す固体理論を、まだ誰も提示していないことに気付いた。彼自身は、長い時間の中でゆっくりと融解と劣化が進行すると考えていた。しかし、それが真実ではなかったらどうなるだろうか？

この問題を起こした突発的な原因が何かあるとしたら？　しかし、その原因となり得るものとは何だろうか？　氷山のこの問題をより体系的に考えるために、もっと時間をかけて議論する必要があると、メンバーたちを説得すべきだろうか？　だが、残された時間はもうほとんどない。

答えの見つからない疑問は、教授をひどく動揺させた。しかしそのような精神状態でも、その夜、教授はぐっすりと眠りについた。彼は、メンバーたちが新しい未来、ふさわしい将来へのビジョンを生み出すことに成功すると信じていたからだ。教授はその将来がどのように形作られるかがだんだん見えてきた。そして彼は、ルイス、アリス、フレッド、バディも同じように考えてくれたら嬉しいと漠然と考えていた。

メッセージを伝えよう

翌日、ルイスはコロニーの全体集会を正午に開催すると告げた。予想通り、その時刻までにコロニーのほぼ全員が集まった――つまりヒョウアザラシのエサは今日も海にはいないことになる。

やる気の出てきた教授は、午前中いっぱいかけてPowerPointで九七枚のプレゼンテーション用スライドを作成し、それをルイスに、将来のビジョンを伝えるために使ってほしいと手渡した。党首ペンギンはその資料をざっと一読すると、今度はバディに渡した。バディは教授の見事な資料をじっくりと見てから、こう言った。「申し訳ないのですが、ちょっと理解できないところが……」。ルイスがどこでわからなくなったのかと尋ねると、バディは二枚目のスライドだと答えた。アリスは目を閉じると、ゆっくりと深呼吸をした。

党首ペンギンはもう一度、教授が作ったその資料に目を通した。それは、資料としては素晴らしい出来栄えだった。しかしルイスは、コロニーの仲間に彼のメッセージを伝えるのにこの資料は役に立つだろうか、かえって話を難しくしてしまわないかと思案していた。不安で頭がいっぱいで、疑い深く、古い考え方にとらわれたペンギンたちにどう話せばよいのだろうか？

彼はよく考えた末に、リスクはあるものの、別の方法を試してみることにした。本当はリスクなど好まないのだが……。

ルイスはコロニーの全体集会の開始を告げた。「ペンギン諸君、我々はこの難局――そして今後も必ずや起こるであろう難局――を前にして、『我々は本当は何者か』という問いを深く考えてみることが、かつてないほど重要になってきた」

聴衆たちはポカンとした表情でルイスを見つめていた。

「教えてほしい。我々ペンギンはお互いを深く尊敬しているだろうか？」

沈黙の後、ひとりが「イエス」と答えると、ほかからも同意の声が上がった。

ノーノーは聴衆の真ん中で、どんな計画が進行中なのか見きわめようとしていた。いずれにせよ、それが彼の気に入らないものであることは明らかだった。

ルイスは続けた。「それでは、我々は規律を重んじているだろうか？」。「イエス」と答えたのは年老いた十数羽のペンギンたちだった。

「では我々には、強い責任感があるだろうか？」。この質問には反論しにくいだろう。世代を越えて、責任感を持つことは常に正しくあり続ける。「イエス」と、今度はほぼ全員が答えた。

「そして何より、我々の同胞と愛する幼い子供たちを守る覚悟はあるだろうか？」。今度は「イエス！」の大声が響いた。

党首ペンギンは間を置いた。「それでは教えてほしい……。我々の信念や共通の価値観は『巨大な氷の塊』に結びついたものだろうか？」。あまり利口とは呼べないペンギンが、「イエス、イエス」のリズミカルな連呼に乗って口を開きそうになった瞬間に、アリスが「ノー」と叫んだ。すかさず、教授とフレッドと、数羽の若いペンギンが後に続いた。その後、たくさんのペンギンたちが「ノー、ノー、ノー」と小声で呟いた。

「ノー！」とルイスも同調した。

ペンギンたちはその場に立ち尽くしていた。そしてすべての視線が党首ペンギンに注がれていた。彼らの中には、なぜこれほど力強く――そして、感情的に声を上げたのかさっぱりわからない者もいた。

ルイスは効果的に間を置いた後、こう言った。

「それではバディの話を聞いてほしい。これから彼が話すのは、これまでにはないもっとよい生き方を我々が考え出すヒントとなった出来事だ」

バディはカモメの一件を語り始めた。「彼はカモメ一族の偵察隊だったのです。自分たちのコロニーが次に移動するのに適した場所を見つけるために、このあたりの調査をしていました。**想像してください！　彼らは自由です！　どこにでも好きなところに行けるのです！**　ずっとずっと昔、彼らは……」

バディは、カモメ一族の歴史や今の暮らしぶり、彼が会った偵察隊のカモメについてなど、彼が知っていることを話した。バディ自身は気づいていないが、物語の語り手としての彼の才能は抜群だった。

バディの話が終わると、ペンギンたちにはさまざまな疑問が生まれた。頭の鈍いペンギンたちの中には、空飛ぶ生き物のイメージが湧かなくて苦労してい

る者もいた。カモメとの会話の一語一句を漏らさず知りたがる者もいた。また特に「自由」であることや遊牧民的な生活など、横道にそれた議論に大いに盛り上がっている者もいた。物わかりの早いペンギンたちは、まだ何も明らかにされていないのに、即座に将来のビジョンを見抜いた。

しばらくの間、ルイスはペンギンたちに自由に議論させておいた。それから大きく咳

払いをすると、静粛にするよう求めた。ざわめきが静まると、彼は確固たる態度で群衆に向かって語り始めた。

「この氷山は、我々そのものではない。ここは今我々が住んでいるというだけの場所に過ぎない。我々はカモメよりも賢く、強く、そして有能である。だから、彼らにできることが、もっと上手く、我々にできないはずがあるだろうか？　我々はこの氷の塊につながれているわけではない。この場所を去ることができるのだ。この氷山が魚の大きさになるまで溶けても構わないではないか。バラバラに砕けて、何千のかけらになっても構わないではないか。我々はもっと安全な場所を見つけて暮らせばいい。必要ならば、また移動すればいい。我々はもう二度と、いま直面しているようなおそろしく危険な目に家族を遭わせることはないのだ。**我々に勝利を！**」

ノーノーの血圧は最低一六〇、最高二四〇を記録した。

集会が終わりに近づいたころ、聴衆たちの目を注意深く調査できたとしたら、きっと次のことがわかるだろう。

● コロニーの三〇パーセントは、新しい生き方を理解し、将来のビジョンにはメリットがあると確信して安堵している。

● 三〇パーセントは、集会で見聞きしたことを飲み込めた。

- 二〇パーセントは、ひどく困惑している。
- 一〇パーセントは、反感は持ってないが、疑ってかかっている。
- 一〇パーセントはノーノー同様、これらはまったくばかげた話だと確信している。

党首ペンギンは心の中で「今はこれで十分だ」と思った。そして彼は集会を解散した。

アリスはフレッドとバディと教授を捕まえると、「ついて来て」と言った。賢明な彼らはアリスに従った。

彼女はさっき思い付いたアイデアを手短に説明した。氷板のポスターにスローガンを掲示しようというのだ。「彼らがさっき耳にしたことを思い出させる必要があると思うの。**それも四六時中**。今朝の集会は時間が足りなかったし、参加していない仲間もいたわ。私たちのメッセージは急進的だから、コロニーの仲間にもっと——毎日、どこででも、メッセージを伝えることが必要よ」

バディは驚いて、声を上げた。「そんなにたくさんポスターを貼ったら、うるさがる仲間もきっといますよ！」。アリスは答えた。「選択肢は二つ。うるさがるペンギン数羽を取るか、溶けて崩れ落ちる氷山の上で悲鳴を上げる仲間を取るか。私ならうるさがられるほうを取るわ」。話は決まった。

彼らはポスターを作り始めた。最初は四苦八苦だった。

しかし、物づくりの得意なペンギンたち——そのうちの何羽かはフレッドよりも若い——が手伝うようになってからは、彼らはあっという間にコツをつかんだ。

一週間の間、二〇羽のペンギンが新しいスローガンを考え出し、氷板ポスターを身に付けて氷山のあちらこちらに散らばって行った。もうポスターを見かけない場所はないと思ったところで、アリスがまた提案した。水中の魚がたくさん捕れる人気のエサ場の近くにポスターを置いたらどうかというのだ。奇妙な提案のようだが、(一)ペンギンは水中でもはっきり目が見える、(二)そこにはポスターがない、(三)ペンギンは魚を探しているため、ポスターを見たくなくても目を閉じられない、などの理由は揃っていた。

あのドラマチックな集会、ルイスの「氷山は我々そのものではない」のスピーチ、バディのカモメ物語、そしてアリスの数え切れないほどの氷板ポスターは期待通りの効果を出し始めた。コロニー全体というにはほど遠いが、ペンギンたちの多くが自分たちのすべきことを理解し、受け入れるようになってきた。

遊牧民的な生き方、これまでとは違う将来という新しいビジョンを伝えるという目的は、大部分においてきわめて成功した。

次の大きなステップへと、コロニーはまた一歩前進した。ペンギンたちの様子を見れば、それは一目瞭然だった。

良いニュース、悪いニュース

三、四〇羽のペンギンたちが小さな企画グループを組織し、偵察隊員の選定、氷山発見のための地図作り、コロニーの引越準備などの作業に取りかかり始めた。ルイスは慎重ながらも楽観的に見ていた。

良いこと——まだ不安を感じているペンギンもいるが、計画立案の中心グループ内の士気はますます高まっている。

まあまあ良いこと——一〇羽あまりのペンギンが偵察隊（新しい家となる氷山を探す仕事）への興味を示している。残念なことに彼らのほとんどはまだ若く、新しい氷山の発見よりも、テレビゲームやケータイのないペンギンの生活をもっと楽しくすることに強い関心を見せている。

あまり良くないこと——ノーノーと彼の友人数羽が、嵐と危険な潮の流れに注意するようにとあらゆる場所で予報を出しているらしい。ペンギンの多くは彼らを無視しているが、決して全員ではない。

不可解なこと——幼いペンギンが数羽、こわい夢を見るようになった。アリスが調べたところ、幼稚園の先生が、おそろしいシャチが幼いペンギンを捕まえるというこわい話をしていたことが判明した。子供たちの悪夢は親たちがひどく混乱していることにも原因がある。その中には偵察隊の候補者も含まれていた。温厚な先生がこのような問題を起こしたのはなぜだろうか？

不可解ではないが、明らかに足を引っぱること――リーダー議会のメンバー数羽が、偵察隊にはボスが必要だと考えている。偵察隊の隊長のポストを求めて彼らが政治工作を始めると、リーダー議会内部のいざこざが日に日に増えてきた。

そして最後に……

実に困ったこと――冬に向けて身体を太らせるために、ペンギンは大量のエサを必要とする。あるペンギンの指摘では、新たな氷山のまわりにも広大なエサ場が必要だが、それを見つけるのは困難な任務のため、偵察隊は自分の魚を捕まえる時間もなくなってしまう。この問題はさらに悪い事態を招く。というのは、コロニーではずっとずっと昔から**自分の子供だけ**にしかエサを分け与えない習慣があるからだ。ほかの大人のために魚を捕まえるペンギンはいない。そういうことは決してしないものだ。

最初は良いニュースの効果のほうが悪いニュースよりも勝っていた。だが次第に、ノーノーの奇怪な行動、子供たちの不安、その親たちの間にも広がった不安、リーダー議会の内輪もめ、偵察隊のエサ捕りの問題などが彼らに重くのしかかってきた。

ノーノーとその数人の友人たちはこの障害を見て取り、勢いづいてきた。彼らがもっと派手に妨害工作を展開したら……。

❄ ❄ ❄

アマンダは企画グループの中でも、骨身惜しまず情熱的に働いているペンギンのひとりだった。彼女は新生活のビジョンを信じ、何とかこれを実現させようと毎日一四時間も働いていた。ところがそんなとき、ノーノーの言葉におじけづいてしまった彼女の夫から、企画グループを辞めろと言われたのだ。深刻な会話が長い間続いた。そのころ、彼女の子供がますますおそろしい悪夢を見るようになり、気がつくと寝る時間の半分は子供をあやして過ぎていった。アマンダが偵察隊のエサ捕り問題を耳にしたとき、彼女のストレスは当初の興奮よりも大きくなっていた。自分ではどうにもならない無力感を感じ、彼女は企画会議を休むようになった。

しかし、この問題は彼女だけにとどまらなかった。

その週の木曜日には、さらに三羽の仲間も企画会議に出なくなった。金曜日にその数は八羽に増え、土曜日には一五羽になった。

企画会議の議長はなんとか流出を食い止めようと、もう一度事実を繰り返し述べた。

「氷山は溶けている。変わらなくてはいけない。正しいビジョンを持とう。今こそ実行のときだ」。この論理に非の打ちどころはない。しかし、すでに脱退することを決意したメンバーには何の効果もなかった。

＊＊＊

アリスは、山積みになっている障害を前に、熱狂的になっていたペンギンたちの士気が、低下し始めていると感じた。「この問題を解決しなくてはなりません」と、アリスはルイスに告げ、「それも大至急」と付け加えた。ルイスは同意した。

バディ、フレッド、教授、ルイス、アリスの五羽は現状について話し合い、取るべき対策を見きわめ、それぞれの役割を決めた。こうして早急に決定した内容は、必ずしもパニックの前兆を想定したわけではないが、それに近いものだった。

彼らの議論中、ノーノーは至るところに出没していた。

「神々は怒っておられる」。ノーノーは次第に増えていく群衆に呼びかけていた。

「神々は我らの魚を食い尽くすために、巨大なシャチをお遣わしになるだろう。その大きな口で我らの氷山を破壊し、そのおそろしいあごで我らの子供たちを噛み砕くのだ。そして、一五〇メートルの大波が押し寄せるだろう。遊牧生活などというばかげた考えは止めさせなくてはならない。**今すぐに**」

ルイスはノーノーを脇に追いやり、彼に天気予報は今後さらに重要性が増すこと、そこでグループのメンバーはもっと科学的なアプローチを取り入れる必要に迫られていることを伝えた。そう、正直に。

ノーノーは用心深く話を聞いていた。

「そこで」とルイスは言った。

「我々は教授に協力を依頼したのだ」

ノーノーは腹を立て、立ち去ろうと後ろを向くと、彼のすぐそばにいる教授の姿が目に入った。

「あなたはヒムリッシュの氷山のダメージに関する論文を読みましたか？」と教授は尋ねた。「たしか、一九六〇年代の後半に発表されたものです」。ノーノーは走り去った。そのあとを教授が追った。

そしてノーノーがどこに行こうとも、必ずや教授が現れた。

次いでルイスは、やはり直接的な方法で、偵察隊の隊長の座を狙う抵抗勢力を相手にした。

彼は断固とした態度で、「もうたくさんだ！」と一喝したのだ。議論は一瞬のうちに終わった。

バディの重要な任務は、幼稚園の先生と話をすることだった。涙でうるんだ瞳のその先生は、「誰からも愛されるペンギン」に彼女の不安を打ち明けた。その不安が原因で、園児たちにあの物語を読み聞かせたことは間違いなかった。

「すべてが変わってしまったら」と、彼女はすすり泣きながら言った。「コロニーには幼稚園がいらなくなってしまうかもしれないわ。そうしたら、そうしたら……、変化についていけない年配の先生は、もう必要なくなるんじゃないかと思って……」

彼女はひどく混乱していた。バディは深く同情した。彼女の話が終わると、バディはこう言った。「そんなことはありません。変わり続ける世界の中で、幼いペンギンたちはこれまで以上に学ぶ必要があります。幼稚園はますます重要になるでしょう」

彼女のすすり泣きが落ち着いてきた。バディはすべてが変化した後の教育の重要な役割について話し続けた。

「私にはよくわかります」。バディは完璧な誠実さで話を締めくくった。「あなたの手助けで子供たちは必要なことを学べるでしょう。あなたは素晴らしい先生です。ここでも新しい場所でも、どんなことを求められても、それに適応できるはずです。だってあなたは保育経験が豊富なのですから」

バディは寛容な心で彼女を元気づけた。そして、穏やかに誠意を込めて何度も何度も同じメッセージを繰り返した。彼女は心が解放されたのを感じ、彼にキスしたくなるほど幸せな気分になっていた。

ああ、なんと感動的なシーンだろうか！

ルイスと教授とバディ――、フレッドとアリスもほかで活躍しているが――の働きは、すぐに効果をもたらした。

あれからノーノーがもう混乱を招くことはなかった（彼は心の底では妨害をやりたがっているが）。彼がどこに行こうとも、教授がすぐ真横にやってきて、間断なく彼に話しかけるのである。

「大気中CO$_2$濃度が四〇〇ppmに到達した場合、南極大陸沿岸の海水温は……」

「ついて来るのを止めなければ」、ノーノーは絶叫した。「わしはこれから……」

「ええ、ええ。ここが特に注意していただきたいポイントです。地球温暖化……」
「あぁぁぁぁぁ……」

❄❄❄

バディと話してから、幼稚園の先生は園児たちを集めてあるお話を聞かせた。それは変化する困難な状況の中で仲間を助ける英雄のお話だった。彼女は素晴らしい物語をいくつか見つけ、子供たちに情熱的に語りかけた。

先生は、コロニーには新たな挑戦に立ち向かう英雄が求められている、もっとも若いあなたたち子供も含め

て、誰もが英雄になれる、と話した。子供たちはそのお話が大好きだった。

その日の夜から、悪夢を見る子供はほとんどいなくなった。

企画グループで意欲的に働くペンギンの数は一時、三五羽から一八羽に落ち込んだ。しかし今は、変化に対する障害が取り除かれたことで、挫折や無気力、集中力の欠如を感じるペンギンの数が次第に減ってきたため、グループのメンバー数は再び盛り返し始めた。

ルイスは、企画グループのすべての仕事を早急に片付けるのに必要なメンバーの数は、およそ五〇羽とはじき出した。まだ五〇羽には届かないが、少なくても潮流は正しい方向に向かっていた。

❄
❄
❄

サリー・アンは幼稚園に通っているまだ幼いペンギンだった。彼女の頭の中は、最近聞いた英雄の物語でいっぱいだ。幼稚園から家によたよた歩きながら帰る途中、彼女はアリスを見かけた。幼い子供がほかに取るべき方法がわからないときによくやるように、サリー・アンもアリスに近づき、質問を投げかけた。「ねえねえアリス、どうやったら私も英雄になれるの？」。アリスは立ち止まり、この幼いペンギンを見つめた。

氷山の融解やコロニー全体の雰囲気、偵察隊のエサ捕り問題に没頭していたアリスは、この質問が聞き取れなかった。すると、その幼い子供はもう一度繰り返した。アリスは彼女に「まっすぐお母さんのところにお帰りなさい」とは言わなかった。その代わりに、「あなたのお父さんとお母さんを説得できるかしら？　党首ペンギンがあなたたちの助けを必要としているって。特に偵察隊のエサ捕りを手伝うように説得できたら、あなたは本物の英雄になれるわ」と答えた。

「たったそれだけ？」と、彼女は子供らしい天真爛漫さでうれしそうに答えた。

翌日、サリー・アンはたくさんの友だちにこの話をした。この問題を子供たちで話し合ううちに、コロニーが遊牧生活を実現するための、子供たちでもできるあるアイデアが生まれた。彼女の幼稚園の先生は通常のカリキュラムをいくつか取りやめて（規則違反ではあるが）、そのアイデアをもっと具体的にするのを手伝った。それは「英雄たちに感謝する日」という形になっていった。

この手のあらゆる活動に対して、神経質になる保護者も少なくない。誰にでも、それが子供にさえも権利があると考える大人は、このコロニーでは稀なのだ。でも、幼稚園児たちはこの活動を大いに気に入っていた。

偵察隊

ルイスは彼らの取り組みが正しい軌道に乗っていることを、早急に証明しなくてはならないと考えていた。そのため次のステップとして、彼はフレッドに意欲的で運動能力の高いペンギンを何羽か選抜して偵察隊のエリート集団を結成し、自分たちの新しい家となりそうな氷山を発見すべく派遣するよう要請した。

「コロニーの仲間に、どれほど前進したかをできるだけ早く示す必要がある」。党首ペンギンはフレッドに説明した。

「さらに、偵察隊を守るためにできる手段は、考え得る限りすべて講じなければならない。すべての隊員が安全に、できるだけ早く戻れるように、我々は手を尽くす必要があるのだ。たとえ一羽でも行方不明になってしまったら、さらに不安をあおることになり、ノーノーの警告を信じる口実を与えてしまうだろう。いいかね、偵察隊は新たな家を選んでくる必要はない。可能性のありそうなところをいくつか見つけてくるだけでいいのだ」

さっそく偵察隊が結成され、翌日出発した。フレッドの選定はなかなかのものだった。彼らは強くて賢く、きわめて意欲的だった。

ペンギンたちのコロニーが直面した最大の難題は、偵察隊が帰還したとき、空腹で疲れきった彼らにどうしたら十分な量の新鮮な魚を与えることができるかだった。彼らはそれぞれ大量の魚をあっという間に平らげてしまうだろう。信じられないかもしれないが、ペンギンは一度の食事で多いときには約九キロの魚を食べてしまうのだ。しかし……、コロニーにはずっと昔から続いている古い習慣があった。それは例の（一）ペンギンは**自分の子供だけに**エサを分け与える、（二）ペンギンは自分の子供にエサを分け与える、というものだ。

いったい、偵察隊のための魚は誰が捕るのだろうか？

現実的な解決策が見つからないところへ、幼稚園児の幼いサリー・アンが「英雄たちに感謝する日」のアイデアを出し、それにみんなの注目が集まった。

「英雄たちに感謝する日」では、くじ引きやパフォーマンス、バンド演奏やフリーマーケットが企画されていた。入場料はほかでは考えられない価格――大人一羽当たり魚二匹だった。

幼いペンギンたちは、その祝典について彼らの両親に説明した。ご想像の通り、こんな場合にほかのことで頭がいっぱいの大人は子供が何を話しているのかはっきりと理解できないものだ。また、このアイデア自体があまり気に入らない親や、偵察隊が彼らの氷山から出発したことさえ気づいていない親もいるだろう。それでも、ほとんどの親たちは自分の子供たちが、このような切迫した状況の中で創造力を発揮したことを誇らしく感じていた。

大人たちはここへきてちょっとだけばつの悪さを感じ始めていた。「自分の子供以外にはエサを分け与えてはならない」という習慣は、ずっとずっと昔から続いているペンギンの確立した伝統だった。そこで、このアイデアを思い付いた子供たちは、この問題にはっきりと決着をつけるためにあるルールを設けた。（一）両親が「英雄たちに感謝する日」の祝典に来ること、（二）入場料として、両親

それぞれが魚を二匹ずつ持ってくること。以上のルールを守れない場合、子供はたいへんな赤っ恥をかく、というものだった。

数羽の親たちがこだわりを捨て、自分たちは魚を持っていくだろう、と周囲に宣言したとたん、ほかの大人たちも決心がついた。こんな場合に独特のプレッシャーがかかるのは、人間の世界でもペンギンの世界でも同じだろう。

ルイスは「英雄たちに感謝する日」を、偵察隊の帰還予定日に合わせた。朝早くから夕方遅くまで、祝典のイベントは信じられないほどの大盛況だった。ゲームやバンド演奏やくじ引き、そしてほかのどのイベントも、みんなをとても楽しませた。そして祝典の最後のクライマックスが近づくにつれ、ペンギンたちは偵察隊の到着を待ち望んだ。

ノーノーは、彼らの半数は戻らないだろうと予言していた。「クジラのエサになるのがオチさ」と、彼はできるだけ多くのペンギンの耳に入るように、あちらこちらで吹聴して回った。「頭の悪いヤツは迷子になっているだろう」。何羽かのペンギンがその話にうなずくのを見て、彼はしゃべり続けた。ノーノーの攻撃は情け容赦なかった。

彼は過去において、これほど精力的に働いた日はなかった。

ノーノーの奇行はさておき、コロニーの中には神経質になっているペンギンもいた。また、氷山の危機に対してもまだ懐疑的な者もいた。それらのすべての事情が、その日のフィナーレをいっそうドラマチックに演出した。

そしてついに、偵察隊が一羽、また一羽と帰ってきた。しかし一羽は重傷を負い、今にも死にそうな隊員も何羽かいた。アリスはいかなる処置も施せるように万全の体制で彼らを待ち構えていた。さっそく医療チームが彼らの処置に当たった。

偵察隊は到着するとまもなく、驚くような話を語り始めた。海のこと、長い距離を泳いだこと、彼らが見つけた新しい氷山のこと……。ペンギンたちはみんな、偵察隊のまわりに集まってきた。

隊員たちはひどく空腹だったので、祝典の参加者たちが持ち寄った魚をすごい勢いで嬉しそうにほおばった。フレッドの呼びかけに志願した隊員たちは、自分たちが成し遂げたことに意気揚々としながら、口に食糧を詰め込んでいった。食事が終わると、サリー・アンと彼女の小さな友人たちが隊員たちの首にリボンをかけた。それは子供たちの手作りのプレゼントで、リボンにはきらきら光る氷のメダルが結び付けられ、そこには「ＨＥＲＯ」の文字が刻まれていた。

HERO
HERO

大移動

次の日の朝、ルイスは偵察隊の会議を招集した。その席には教授も招かれた。「諸君が見聞きしたことを話してくれたまえ」と、党首ペンギンは尋ねた。「諸君が見つけた氷山について教えてほしい。それは形がよくて、十分な大きさがあり、冬の間に我々の卵を守れそうなものかね？　子供や年寄りも安全にたどり着ける程度に、ここから近いところにあるのかね？」

隊員は彼らが見つけたものについて語った。教授は次から次へと隊員に質問を浴びせかけ、それらを意見と事実とに区別した。教授のこの質問スタイルは隊員たちにあまり良い印象を与えなかった（もっとも教授自身はいっこうに気にしていない）が、実に効果的な方法だった。

「英雄たちに感謝する日」以来、偵察隊の第二陣の志願者は前回を上回った。彼らは氷山の候補地をひとつに絞るという任務がきわめて過酷なものになることを承知で名乗り出た。ルイスは志願者の中から第二陣のチームを選抜し、第一陣が発見した有望な候補地を調査するために彼らを送り出した。

これまでの成り行きを疑い深い目で見ていたペンギンたちの多くは、最近ではずいぶんと疑念が薄らいだようだった。未だにすべてを信用していない者もいるが、その大半は理性的であった。生来の気弱さゆえに懐疑的な者は、ごく少数に過ぎなかった。

いまや誰ひとりとしてノーノーに気を留める者はいなくなった。

アリスは今の勢いを維持しようと、気を緩めずに働いた。リーダー議会のメンバーの中から、次々と起こる問題すべてを処理するには時間が足りない、という不満の声がいくつか上がった。アリスは、従来のリーダー議会の半分は無意味に費やされていただけだったと指摘した。そして、たわいのない多くの問題については「その意見は却下しましょう」というアリスの提案に、ルイスは従った。

あるとき、党首ペンギンさえもが実行段階のペースを落としたらどうかと提案した。だが、アリスは絶対にそれを認めなかった。

「みんなの士気がいつ低下するかわからないのです。来年の冬まで待ったらどうか、ということを口にしている仲間もうすでにいます。そして、もしも生き延びることができたら、きっと彼らは、危険はもう去ったのだから何かを変える必要はないと言うでしょう」

的を射た指摘だった。

そうしているうちに偵察隊の第二陣が、いくつかの理由から打ってつけと思われる氷山を見つけてきた。それは次の条件を満たしていた。

- 安全な家であること。氷が溶けている形跡や水の充満した洞穴は見つからなかったこと。
- 吹雪から守ってくれる高い氷壁があること。
- 豊かなエサ場に近いこと。
- 目的地までのルートに、子供や年老いたペンギンが途中で休むことができる小さな氷山や氷の平地があること。

帰還した偵察隊は自分たちを誇りに思い、興奮し、とても幸せな気分だった。コロニーの仲間も、彼らを誇りに思い、興奮し、とても幸せな気分だった。

このころには、偵察隊のために魚を用意するという厄介な仕事は、日課の一部のようにみんなが思い始めていて、たくさんのペンギンたちが手伝った。それは当たり前のことで、驚くことではなかった。

教授は、新たに発見された氷山の氷や雪の状態を、より科学的に調査するよう依頼された。彼はこの任務にあまり乗り気ではなかった。太り気味の彼にとって、そこまでの旅は容易なものではなかったからだ。しかしルイスと穏やかに話し合った後（アリスとはあまり穏やかな話し合いではなかったが）、彼は偵察隊に同行する準備を始めた。そして、旅立った。

その一方で、コロニーは別の重要な、しかし喜びに満ちた日課で慌しくなった。子作りの季節を迎えたのだ。

南極の冬がやってくる直前の五月一二日、ペンギンたちは新天地への移動を始めた。それは手遅れになる前のぎりぎりのタイミングだった。

コロニーの移動は一時大混乱に陥った。ある場所で何羽かのペンギンが迷子になり、みんながパニックになっ

たのである。しかし、彼らは仲間を見つけて何とか戻ってきた。大部分において、みんなの期待通りにすべてがうまくいった。

❄ ❄ ❄

ルイスは効果的なリーダーシップを発揮したことで、コロニーのペンギンたちから大いに称賛された。だからといって、誇り高い彼はそのことでごう慢な態度を取るようなことはなかった。

バディはいつも不安な者たちをなぐさめ、抑圧された者たちを勇気づけ、取り乱した者たちを落ち着かせた。もっと言えば、さらに一〇羽のメスたちと恋に落ちたという話もある（だが、これはまた別の問題だ）。

フレッドは、その冷静な判断に基づく創造力が期待され、誰も解決できない問題が起きるといつも決まって呼ばれるようになった。

教授は、コロニー内での新しい自分の地位が気に入っていた。おかしなことだが、彼は仲間から称賛されることがとても嬉しかった。今まではほかのペンギンたちのことを、頭の空っぽな連中だと思っていたにもかかわらず。

アリスはあいかわらず、毎日三時間しか眠らない生活を送っている。

ノーノーはと言えば、最後の最後まで不吉な予言をつぶやいていた。

冬が過ぎ、コロニーにはいくつかの問題が起こった。彼らの新しい家は今までと違うこと、エサ場のベストスポットは不慣れな場所にあること、強風が氷壁に当たると、思いもかけない方向に風が跳ね返ってくることなどだ。しかしこれらの問題は、当初彼らがおそれていた不安ほど大きなものではなかった。

また次のシーズン、偵察隊はもっと条件のよい氷山を見つけてきた。そこは規模も大きく、エサ場は今よりも豊かだった。我々のコロニーはもう十分な変化を受けてきたのだから、この新しい家にずっと住み続けようと宣言するほうが簡単だった。だが、彼らはそうしなかった。ペンギンたちはまた移動した。これはきわめて重要なステップ——気を緩めず、もう二度と現状に甘えないことの表明だった。

ご想像通り、二度目の移動の準備は、最初のときほどの衝撃はなかった。

もっとも驚くべき変化

ペンギンたちの物語はこれにておしまい、と思うかもしれない。しかし、実はまだ続きがあった。

あるペンギンたちが、現在の完璧な氷山を発見するまでの物語を語り始めた。そしてそれから……。

因習はついになくなった。人間の世界と同じように、ペンギンの世界においても、彼らの文化は多くの困難を伴いながら変化していった。

リーダー議会のメンバーを一新するようにと、アリスはルイスを説得した。彼は長年にわたって懸命に働き、コロニーのために仕えてきたペンギンたちに対して無礼なことは一切したくないと思っていた。それに、彼らすべての尊厳を守りながら行動を起こすのは、決して容易なことではなかったからだ。しかしアリスの態度は強硬だった。彼女のその様子が目に浮かぶ。

偵察隊になるための厳しい選考手順が設けられた。彼らには今までよりももっと多くの魚が与えられた。コロニー内での偵察隊の地位はさらに高まっていった。

ペンギンの学校のカリキュラムにも、新しく「偵察」という必修科目が加わった。

教授は気象予測主任の後継者となった。最初はこの仕事にあまり乗り気ではなかったが、気象予測に「真の科学」を取り入れ、やがて愛着を感じるようになった。

フレッドは「偵察隊隊長」としてリーダー議会の一員になるように要請された。彼は謹んでその大役を引き受けた。

バディには、今までよりももっと重要なポストが多数用意された。しかし彼はそれをすべて断り、その代わりにそれらのポストの適任者探しを手伝った。彼の野心のなさは、やがて偉大な謙遜と理解されるようになった。ペンギンたちはますます彼のことが好きになった。

コロニーは現在も遊牧民のように移動を続けている。ペンギンたちのほとんどはそれを受け入れている。この生活を気に入っている者もいれば、決して好きになれない者もいる。

ルイスは引退した。そしてコロニーの祖父として愛され、彼が期待していた以上に余暇の時間を楽しんでいる。後任の党首ペンギンには、以前よりも多少優れたバランス感覚を身に付けたアリスが就任した。

時が過ぎて、コロニーは繁栄し、ますます成長を続けた。彼らは新たな危機に直面してもそれも乗り越える力を着実に身に付けていた。少なくともその一部は、氷山融解の大冒険から学んだものに違いない。

コロニーの祖父ルイスは、コロニーで最初の校長先生になった。彼は若いペンギンたちからあの「大いなる変革」の物語をしてほしいと何度も何度も頼まれた。しかし最初、彼はためらっていた。たとえそれが事実だったとしても、過去の栄光にしがみついている年寄りだと思われたくなかったからだ。しかし最後には、自分たちのコロニーがどのような道を歩んできたのかを子供たちに伝えるのは重要なことだと気付いた。そこで彼は、子供たちができるだけ興味を持って楽しく話を聞けるような方法を考えた。

ルイスは、氷山が溶けていることをフレッドが発見したところから話を始めた。そして、それから彼らが、(一)困難な問題に対してコロニー全体の危機意識を高めたこと、(二)変革を推進するチームのメンバーを慎重に選んだこと、(三)よりよい未来へ向けて適切なビジョンを打ち出したこと、(四)そのビジョンをコロニーのみんなが理解し受け入れられるように伝えたこと、(五)実践的な方法でできるだけ多くの障害を取り除いたこと、(六)早い時期にいくつかの成果を上げたこと、(七)新しい生活がしっかりと確立するまでは変革の手を緩めなかったこと、(八)最後に、凝り固まった古い因習からは変革を実現させる力は決して生まれないこと、を子供たちに話して聞かせた。

物語の中でははっきりと話していないが、彼がもっとも驚くべき変化だと感じているのは、実にたくさんのコロニーの仲間が変化をおそれなくなり、新たな環境に適応するには具体的なステップがあることを学び、もっと素晴らしい未来のためにみんなで協力して挑戦し続けていることだった。

校長ペンギンがことさら強く驚いたのは、幼いヒナ鳥たちでさえもコロニーの役に立とうとしたことだった。だからこそ、ルイスはよりいっそう彼らを愛しく思えるのだった。

❄ ❄ ❄

終わり

(本書ではなく、ペンギンの物語の終わり)

自分を変えて、成功を収めよう

寓話を読むのは楽しいものです。しかしこのペンギンの物語のように、寓話にはあなたをもっと賢く行動させるための知恵が詰まっています。生産性を上げる、目標を達成する、混乱しないようにする、ストレスを減らす、そして一般的には、自分の身のまわりで起こっていることを理解することで状況をコントロールする力を身に付ける、などがあるでしょう。

このペンギンの物語の中で実践されたプロセスは、自然の成り行きではないかと思う向きもあるかもしれません。つまり、ペンギンたちは自然に賢い方法を見いだし、それぞれの経験をその方法に照らし合わせて、よりよい未来のための選択肢を見つけただけではないかと。しかし、このように考えたとしても、彼らの意識的な思考法、話し合い方、そして導き方から得られるものはあるはずです。

ソフトウエアエンジニアから経営幹部まで、主婦から牧師まで、そして高校生から定年退職者まで、多くの人々がこのペンギンの物語を意識的に活用することで、自分自身の望みや組織の要求をよりよい方法で実現できるはずです。そのプロセスは、あなた自身の状況に合わせて変えればよいのです。

まずは、この物語をよく読んで考えてください。きっと何回も読む価値があるとおわかりになるでしょう。この短いストーリーの中にどれほど多くのことが詰め込まれているか、それに気付いて驚かれるかもしれません。

この物語の中で明確に示されている問題を自らに問いかけてみてください。もし自分が溶けかかっている氷山、もしくはその可能性がある氷山の上で生活しているとしたら？　氷山はさまざまなものに形を変えます――老朽化した生産ライン、時代の変化に適応できない学校教育、品質の低下したサービス、しだいに意義の薄れてきた経営戦略、失脚した提案者が残した戦略など。そして、自分のまわりのノーノーは誰か？　アリスやフレッドは誰か？　そして自分自身は誰なのか？

このことを深く考えるのに、成功する変革プロセスを学んでおくと大いに役立ちます。その要約は、次の二ページに掲載しました。我らの賢明なペンギンたちがどのように大変革を成し遂げたのかを、この八段階のプロセスそれぞれに照らし合わせてじっくりと分析してみてください。それから、あなた自身もしくはあなたの組織が実行していることや企画していることについて、それぞれの段階ごとに検討するとよいでしょう。

変革を成功させる八段階のプロセス

■準備を整える

1　危機意識を高める

周囲の人々に変革の必要性とすぐに実行する重要性を理解させる。

2　変革推進チームをつくる

変革を推し進めるには強力なチームが不可欠なことを認識する——それぞれ、リーダーシップ、信頼性、コミュニケーション、専門的知識、分析力、危機意識、に優れたメンバーが望ましい。

■すべきことを決定する

3　変革のビジョンと戦略を立てる

将来がどのように変わるのか、その将来をどのように実現するのかを明確にする。

■行動を起こす

4　変革のビジョンを周知徹底する

変革のビジョンと戦略について、なるべく多くの人の理解と賛同を得るようにする。

5　行動しやすい環境を整える

障害はできるだけ取り除き、そのビジョンを実現したい人たちが行動しやすくする。

6　短期的な成果を生む

できるだけ早い時期に、目に見えるはっきりとした成果を上げる。

7　さらに変革を進める

ひとつ成功を収めたら、そのあとは変革をさらに推し進め、加速させる。そのビジョンが実現するまでは変革に次ぐ変革で、手綱を緩めてはならない。

■変革を根づかせる

8　新しい文化を築く

新たな行動様式が過去の古い因習に完全に置き換わるまでは、その新しいやり方を持続し、それが成果を上げていることを確認する。

考え方と感じ方の役割

考え方を変えてみると行動も変わります。そうすると、良い結果が引き出されます。

- データを収集し、それを分析する。
- まわりの人々の考え方を変えるために、その情報を論理的に提示する。
- 考え方を変えれば、行動が変えられる。

感じ方を変えてみると行動も**大きく**変わり、もっと良い結果が引き出されます。

- 驚きや感動の経験を、できれば目に見える形でまわりの人に伝える。
- その経験を通して、ある状況に対するその人の感じ方を変えることができる。
- 感じ方を変えれば、行動を大きく変えられる。

あなたが分析的に物事を考えるタイプなら、先に示した四つの項目――八段階のプロセス、ペンギンたちの行動、あなたもしくはあなたの組織の行動、あなたの今後の行動計画――それぞれについて、きちんと分析してみると、この問題を深く考えるのに役に立つでしょう。

本書を読み、深く考えたのなら、それを同じように本書を読んだ人と話し合ってみましょう。この議論はどんな形でも構いません。研修プログラムや定例会議の中で、または友人や家族と気軽に語り合ってもよいのです。

ペンギンの世界での単語（氷山、アリス、「英雄」メダルなど）は、難しい話題でも混乱やおそれをあまり感じず口に出せるため、お互いの意思の疎通を図りやすくするばかりでなく、話し合いを促進させる働きもあります。我々は経験上、このような形での話し合いはとても効果的だと考えています。

また、この寓話の中にはほかにも役に立つレッスンが詰まっています。研究を基にしたビジネス書が好きな方には、『Leading Change』（邦題『企業変革力』日経BP社刊）と『The Heart of Change』（邦題『ジョン・コッターの企業変革ノート』日経BP社刊）をお勧めします。

現代はハイテク時代です。そこで我々は、www.ouricebergismelting.comにこのペンギンの物語の読者が実際に実践したことや仲間同士での話し合いを促進するために取り入れた方法、またはもっと体系的なトレーニング方法などを掲載しています。

本書や仲間との議論、そして上記のウェブの内容などから、読者のみなさんはこれまでとはまったく違う優れた実践方法を見いだしたり、または現在すでに進んでいる方向への確信をより強めたりできるでしょう。周囲へのイニシアチブを高めるのにも本書は効果的です。八段階のステップをぜひ実践してみてください。あなたは実践力を高め、もっとプライドを持ち、何事も楽しむことができるようになるはずです。そして、日々変化する世界の中で生まれる出口の見えない難題にも、苦痛をあまり感じずに対処できるようになるため、あなたの組織を成功に導き、仲間を窮地から救い出すことができるかもしれません。

最後に――これこそが本書の最大の効果ですが――、本書の物語を共に読み、考え、話し合った仲間と協力して行動を起こすことができれば、最後に得られる結果は実に素晴らしいものになるでしょう。

ここ数年の間に私たちが目にした多くのレッスンの中からもっとも重要なものを選ぶとしたら、それは間違いなくこのペンギンの物語でしょう。リーダー議会のメンバーとその下で活躍したペンギンたち、それにヒナ鳥までが変革に対して同じ意識を持ったとき、逆境の中で驚くべき力が発揮されました。

このレッスンは職場以外でも――たとえば地域社会の形成、スポーツチーム、教会活動、そして家族の中でも生かすことができます。そのような視点で物事を考えるようにすれば、溶けかかっている氷山やその可能性がある氷山を、ありとあらゆる場所で発見できるようになるのです。

　さまざまな人々からの話を耳にすると、日々移り変わる世界の中には氷山の問題が驚くほど存在します。問題を理解し、解決するのは何とも難しいことです。しかし、それらの難題のほとんどを、ごく小さなグループや組織のため、または自分自身のために、人々は創造的な方法を考え出して果敢に取り組み、よりよい未来に向けて発展させています。そしてそのことに、我々はいつも驚かされています。

　人類は（ときには）ペンギンたちよりもずっと賢くなることができるのです。

❄　❄　❄

終わり

訳者あとがき

もし、あなたの属する組織が、どうも頼りなく思えたら。

もし、あなたの会社が潰れそうか、合併されそうか、株式を買い集められそうになったら。

もし、あなたの家族がバラバラになる予感がしたり、懐かしかった地元の地域社会に崩壊の足音が聴こえてきたら。

あなたは、この本『カモメになったペンギン』を片手に、再生の道を探ることができるだろう。いや、むしろ、まったく危機意識のない組織に勤めている人のほうが、よっぽどヤバそうなんだけど、ね。たとえば、町内会や自治会や商店会、マンションの管理組合やＰＴＡの方々とか。そして、とりわけこの本をじっくり読んで欲しいのが「教育委員会」や「校長会（校長先生の集まり）」のみなさんだ。

この本の原題は『Our Iceberg Is Melting』（氷山が溶けちゃうよ）。

ペンギンたちがいかに、この未曾有の危機を乗り越えたかという物語だ。

現状に危機意識を持つ一般の読者の関心を集めベストセラーとなったいっぽうで、

一流のビジネスマン、トップマネジャーたちにも読み継がれてきた名著『チーズはどこへ消えた?』の著者スペンサー・ジョンソンも絶賛している。

私自身は、リクルートで、いくつかの新規事業の立ち上げにかかわった。その後、学校というノンプロフィット組織の再生という仕事も経験した。

つくづく、思う。最初の五人が肝心だよなあ、と。

「立ち上げ」でも「再生」でも、最初に関わる五人の人選が、プロジェクトの命運を決めるという意味だ。子供たちなら、さしずめTV番組の五人のヒーローものを思い浮かべるかもしれない。

この物語の中には、危機を乗り越えるために必要な五人のキャラが明確に描かれている。

最初に危機意識を持ったフレッド。ペンギンたちの住む氷山がやがて溶けてなくなることを発見し、科学的に裏付けた。好奇心と観察力に優れた父親だ。

フレッドの理解者となるアリス。彼女はリーダーペンギンのひとりで、どうやって動くかという作戦に優れている。行動力があり、実務ができる。

危機を全員に知らしめ、どう解決するか、調整者となったのは老練なルイスだ。ちょっとだけカリスマがあり、誰に仕事をやらせるか、人事の才に優れている。この一大事を乗り越えて、ペンギン学校の校長となったのも気に入った。

コロニーのペンギン全員に上手くいくことを知らしめたのは人気者のバディ。イケメンのジャニーズ系で、人を安心させるコミュニケーションと癒しの達人。変化におびえる幼稚園の先生を優しい語り口調で落ち着かせたシーンは見事のひとこと。

そして、ジョーダンは「教授」という愛称で親しまれる専門家。論理的で聡明だが他人への関心は薄い彼が、最後にはチームの五人とビジョンを共有したいと思うようになる。

五人は、そんなキャラのチームなのである。

どの「立ち上げ」にも、どの「再生」にも、フレッド、アリス、ルイス、バディ、ジョーダンのような五人のキャラが必要だ。

実際、私が、「よのなか」科という授業を立ち上げた際にも、学校支援のための「地域本部」（学校の中にあってボランティアを結集する組織）を創設して地域社会の機能を再生したときにも、アリスやルイスがいた。バディも、ジョーダンも。

だから、自分の組織では誰がフレッドか、誰がアリスか……それを問いかけるのは興味深いゲームになるだろう。ひょっとしたら、普段は「使えないヤツ」と言われている隣の彼かもしれないから。

さあ、読者も、現状を変えるすべての努力を、ひとりぼっちでではなく、四人の仲間を募って実行しよう。

あなた自身が「最初の五人」になるのだ。

この本は、あなたに、その**偉大な一歩**を踏み出させてくれるバイブルである。

杉並区立和田中学校　校長

藤原和博

追伸：何で、ペンギンがカモメになっちゃうの？

この疑問は、本文を読んでいただければ解けるはずだ。

ペンギンがカモメから学んだ生活習慣が大事……おっと、ここでタネ明かしは野暮だろう。「あとがき」を立ち読みしている読者にも敬意を表して、ね。

そういえば、私の古巣のリクルートでは、カモメが会社のシンボルマークだったなあ。

著者紹介

ジョン・P・コッター　John P. Kotter

ハーバード・ビジネススクールの松下幸之助寄付講座リーダーシップ教授。マサチューセッツ州ケンブリッジに設立されたコッター・アソシエイツの創設者、会長。マサチューセッツ工科大学、ハーバード大学卒業。1972年からハーバード・ビジネススクールで教鞭を取る。81年には34歳の若さで正教授に就くとともに終身教職権取得。これはハーバードの歴史のなかでも最年少記録である。現在はハーバード大学のみならず、世界中でセミナーや講演活動を展開中。現在マサチューセッツ州ケンブリッジに、夫人のナンシー・ディアマンと娘のキャロライン、息子のジョナサンと一緒に暮らしている。

ホルガー・ラスゲバー　Holger Rathgeber

医療テクノロジー企業の世界的リーダーであるベクトン・ディッキンソンに勤務するモダン・グローバル・マネジャー。ドイツのフランクフルト出身。社会人としての最初の数年間はアジアで過ごした。2004年からはニューヨーク州ホワイトプレーンズに、夫人のジュッタと二人の息子ダニエルとベニーと暮らしている。

訳者紹介

藤原 和博

杉並区立和田中学校校長。東京大学経済学部卒業後、リクルート入社。東京営業統括部長、新規事業担当部長などを歴任。1993年からロンドン大学ビジネススクール客員研究員。96年より「フェロー」制度を人事部とともに創出し、自らその第一号となる。2003年都内では初めてとなる義務教育の民間人校長として現職に就任。同校に〔よのなか〕科や学校支援のためのボランティア組織「地域本部」を創設するなど、さまざまな教育改革の取り組みにより、文部科学大臣賞などを数多く受賞。『校長先生になろう！』ほか、著書は「よのなかnet」（http://www.yononaka.net）に詳しい。

イラストレーター紹介

野村 辰寿

アニメーション作家。多摩美術大学グラフィックデザイン科卒業。現在、株式会社ロボットアニメーションスタジオ ケージ所属。さまざまな分野のアニメーションやキャラクターデザインを手がけ、絵本、イラストレーションでも活動中。代表作『ストレイシープ（フジテレビ）』『ジャム・ザ・ハウスネイル（NHK教育）』『ななみちゃん（NHK-BS）』など。

カモメになったペンギン

2007年10月26日　第1刷発行
2010年 6 月15日　第7刷発行

著者❄ジョン・P・コッター／ホルガー・ラスゲバー

訳者❄藤原 和博

イラストレーター❄野村 辰寿

発行所❄ダイヤモンド社
〒150-8409 東京都渋谷区神宮前6-12-17
http://www.diamond.co.jp/
電話／03・5778・7235（編集）　03・5778・7240（販売）

装丁・DTP❄冨永 浩一

翻訳協力❄小林 順子

製作進行❄ダイヤモンド・グラフィック社

印刷❄加藤文明社

製本❄ブックアート

編集担当❄音湘 省一郎

ISBN 978-4-478-00034-2

Printed in Japan